国际象棋冠军课堂

国际象棋

初级教程

练习册

人 民 邮 电 出 版 社
北 京

难度：★

1. 白先

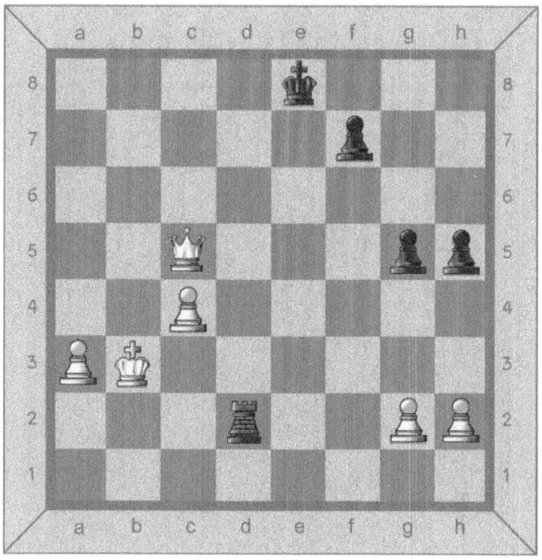

2. 黑先

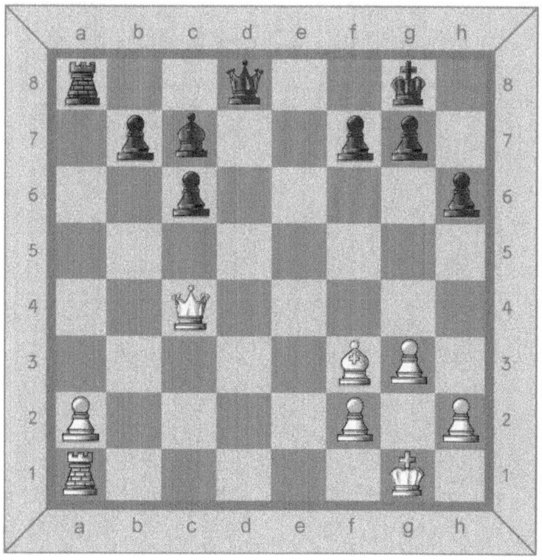

3. 白先

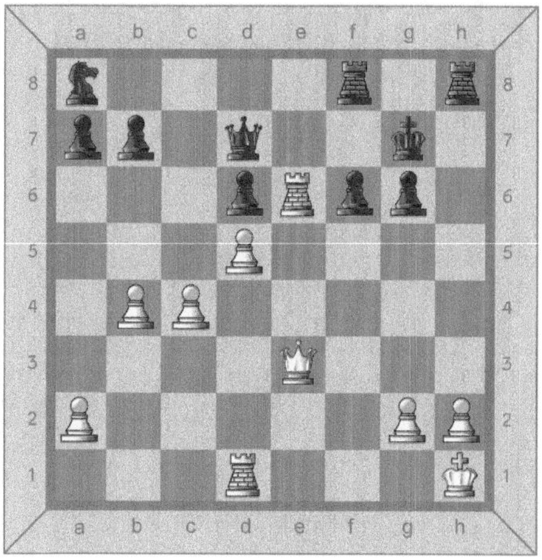

4. 黑先

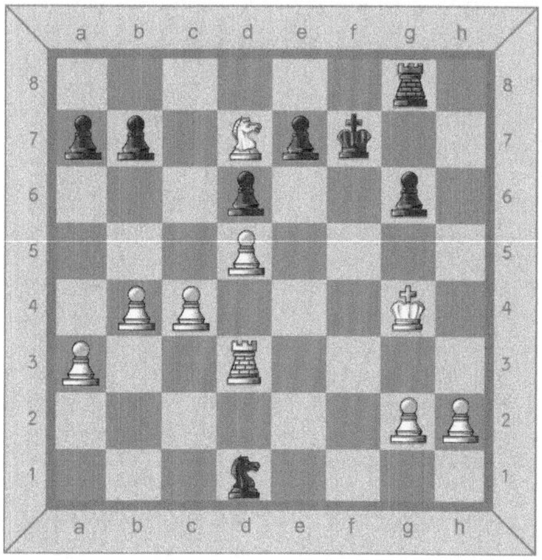

5. 白先

6. 黑先

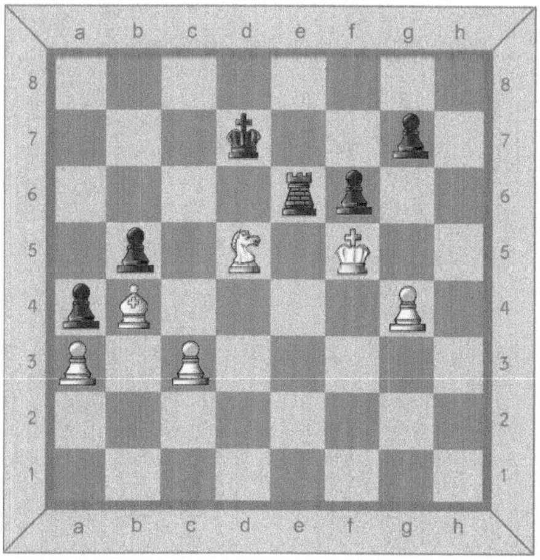

7. 白先

8. 白先

9. 黑先

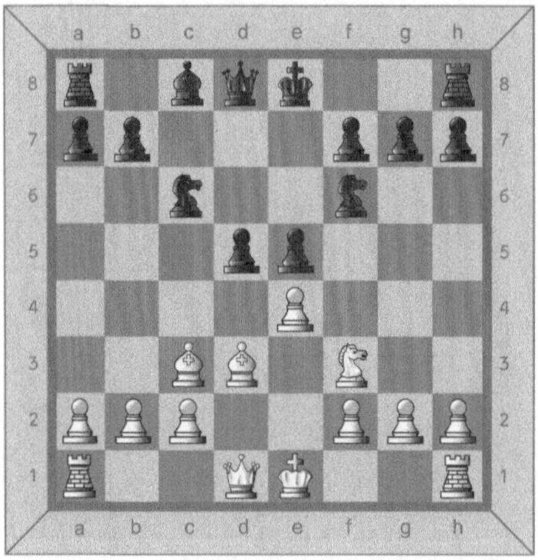

10. 白先

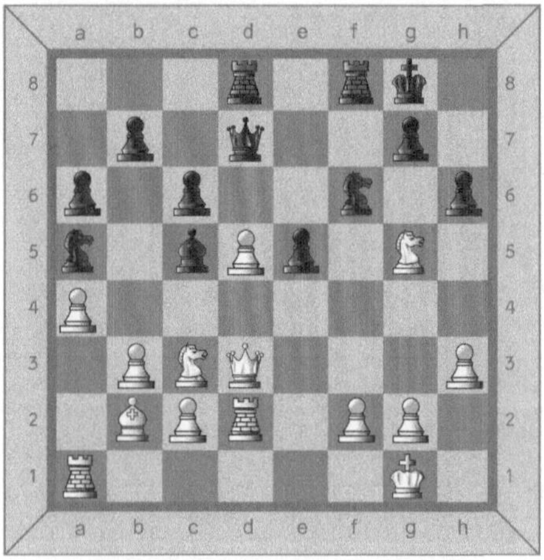

11. 白先

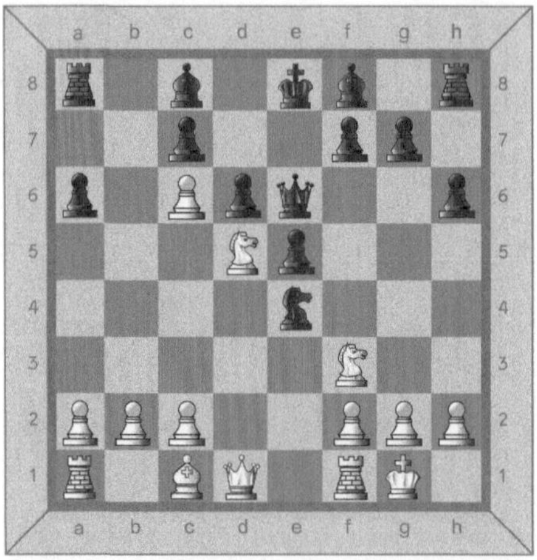

12. 白先

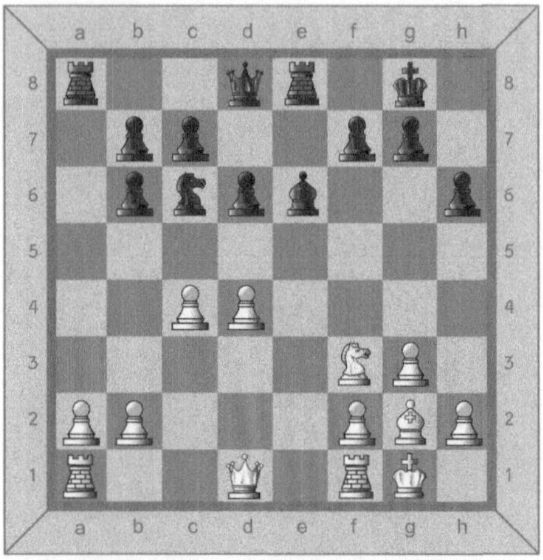

13. 黑先

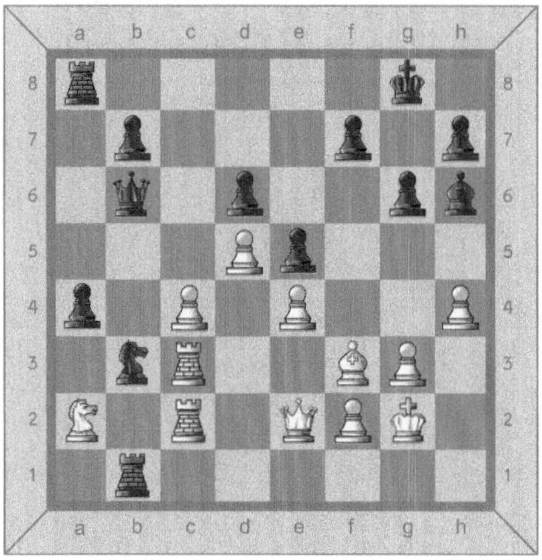

14. 白先

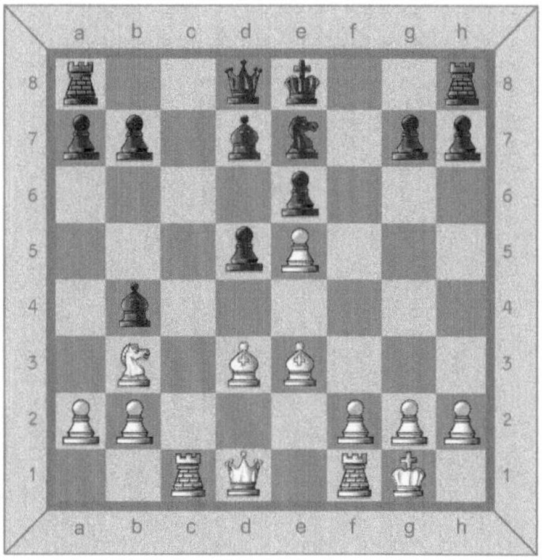

15. 白先

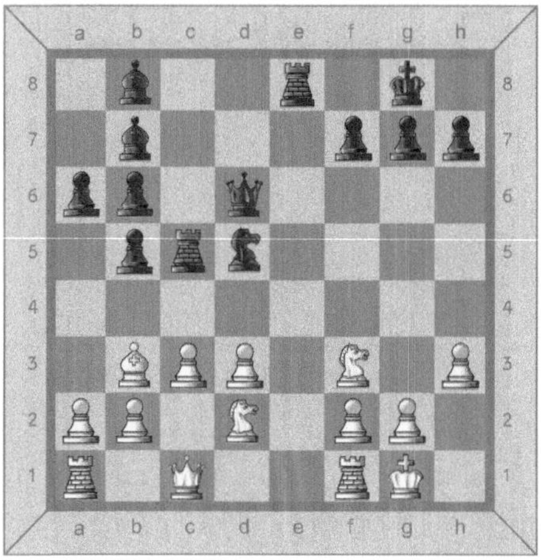

16. 黑先

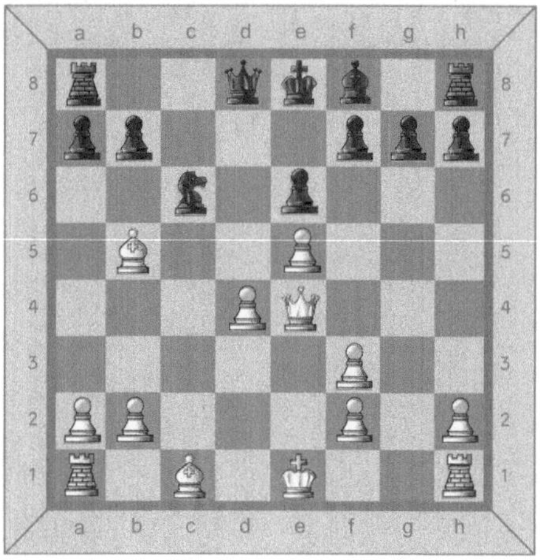

17. 白先

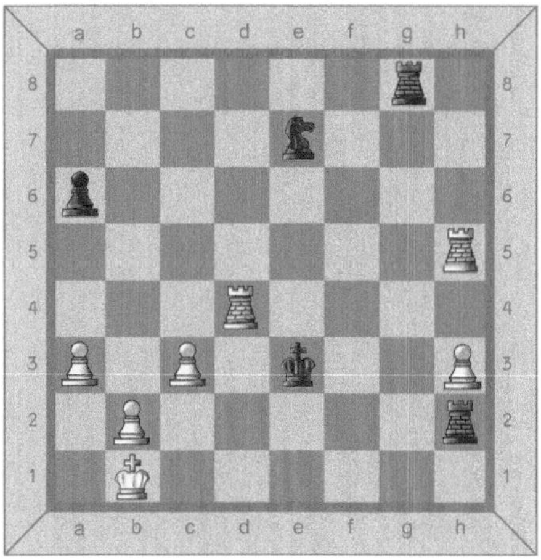

18. 白先

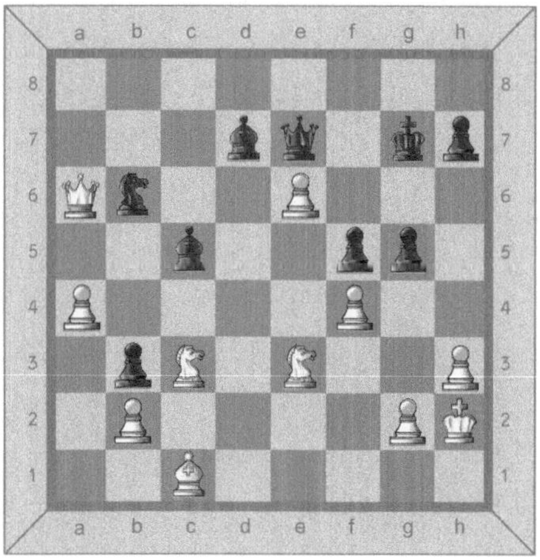

19. 黑先

20. 白先

21. 黑先

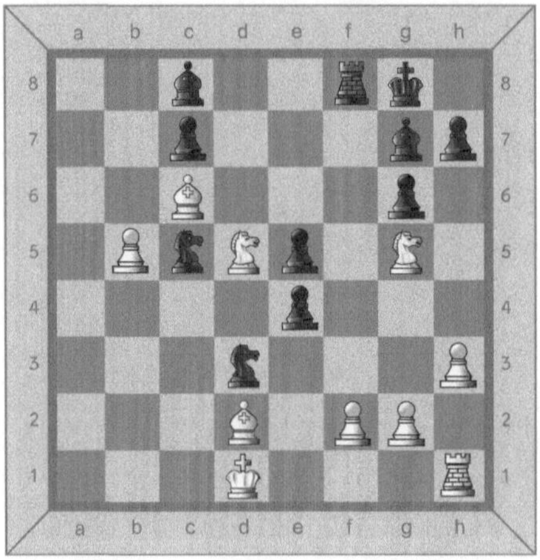

22. 白先

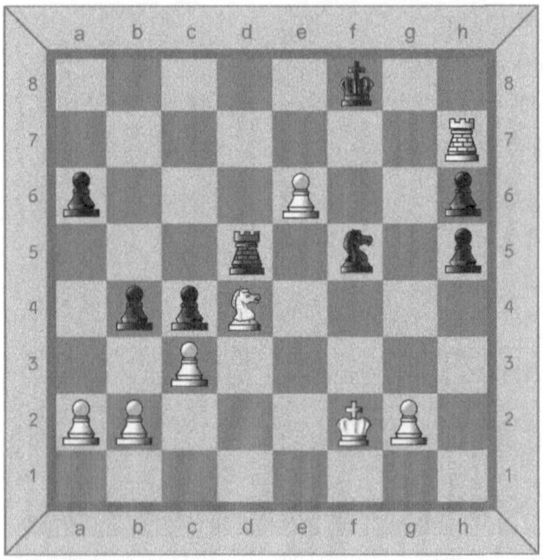

23. 白先

24. 黑先

25. 黑先

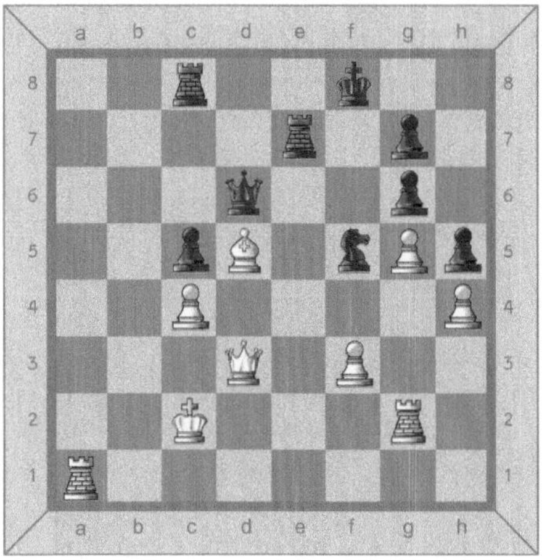

26. 白先

27. 白先

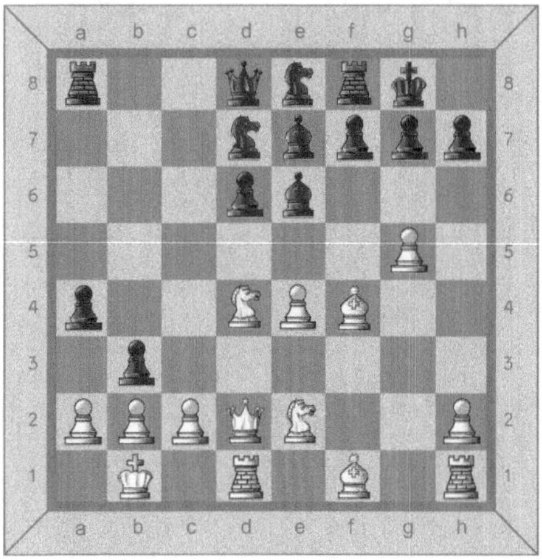

28. 白先

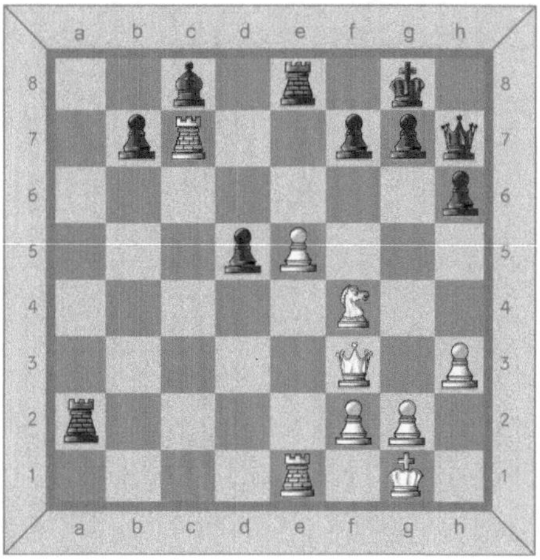

29. 白先

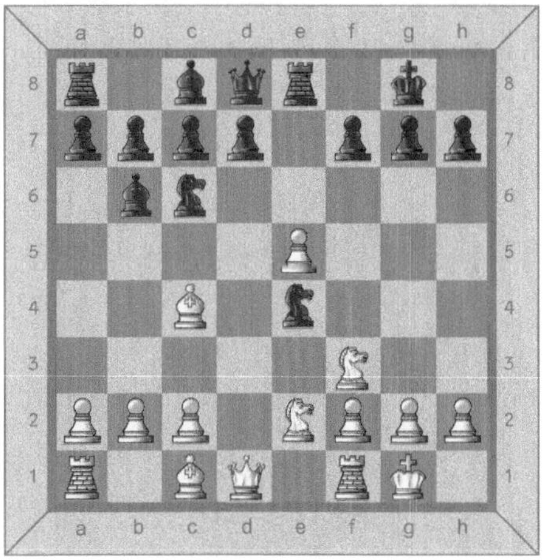

30. 黑先

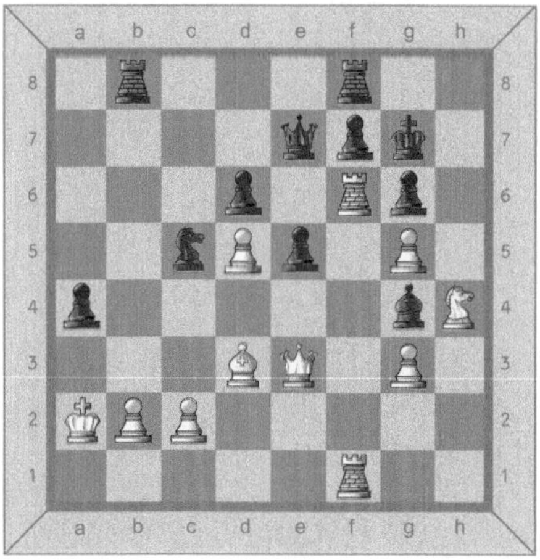

难度：★★

31. 黑先

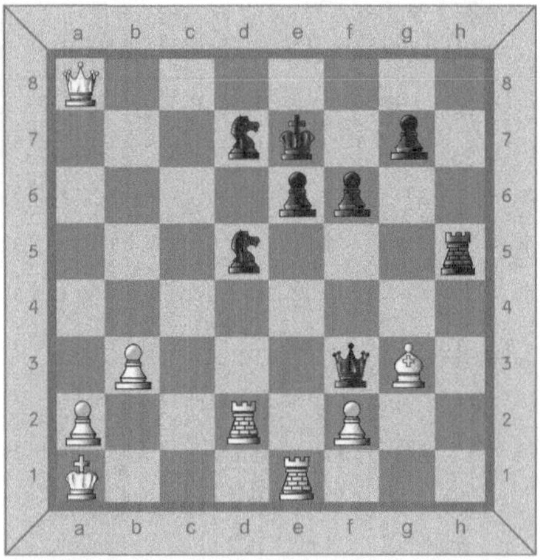

32. 白先

33. 白先

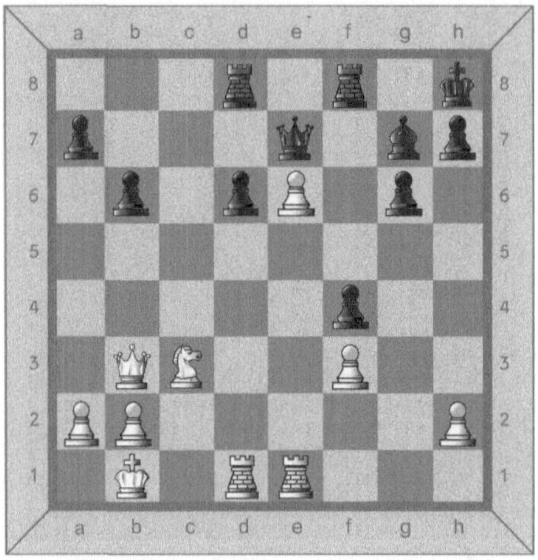

34. 白先

35. 黑先

36. 黑先

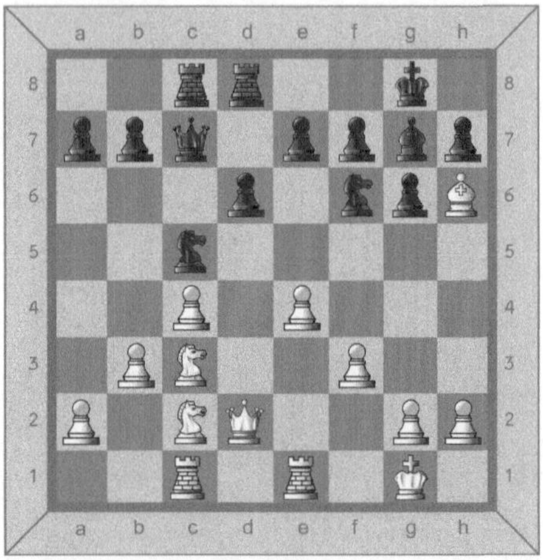

37. 白先

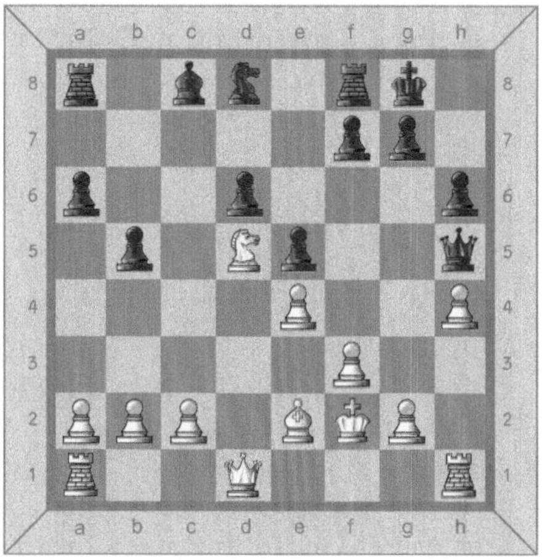

38. 白先

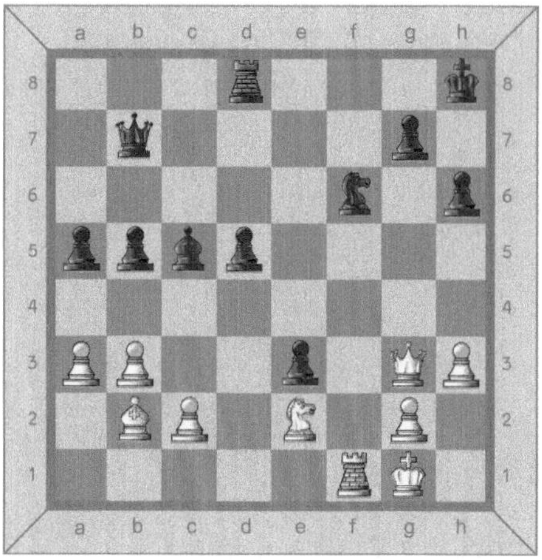

39. 黑先

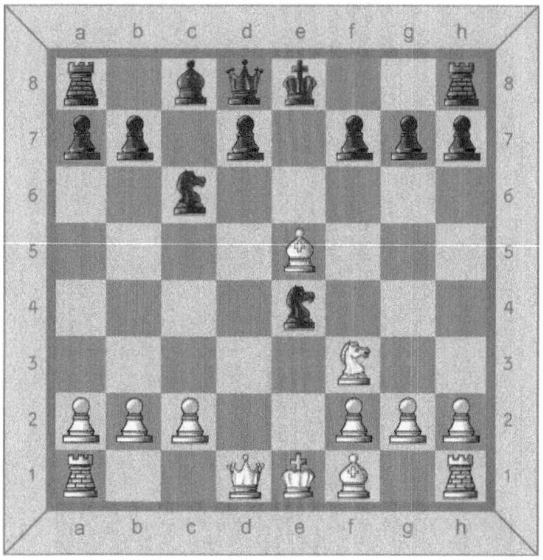

40. 白先

41. 白先

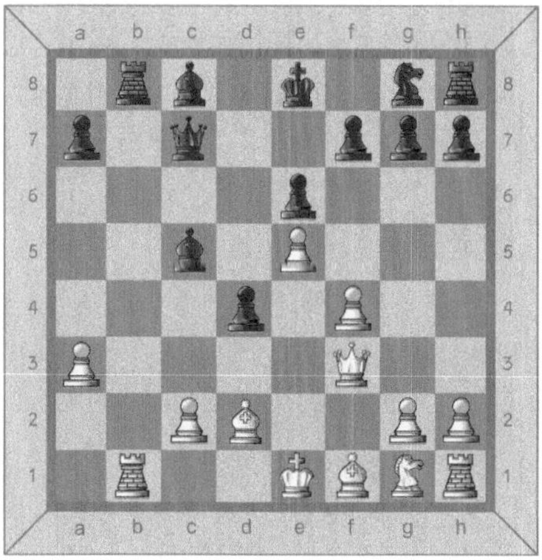

42. 黑先

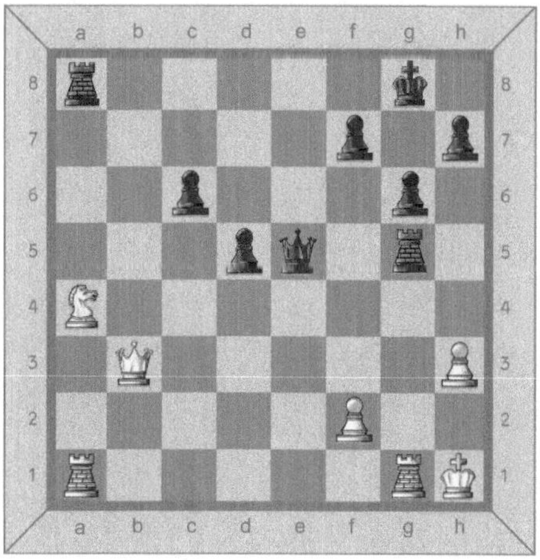

击双

43. 黑先

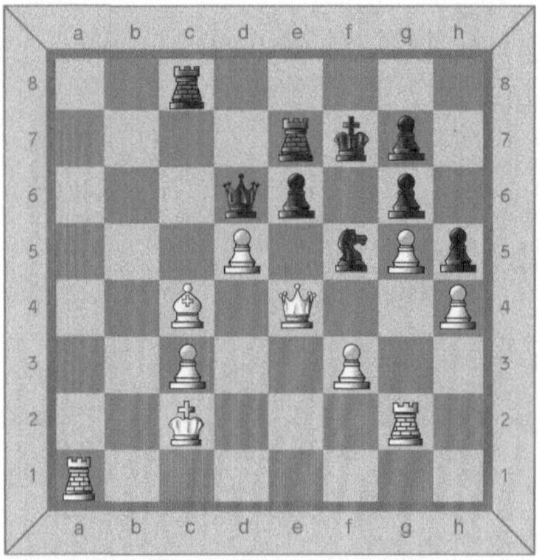

44. 白先

45. 白先

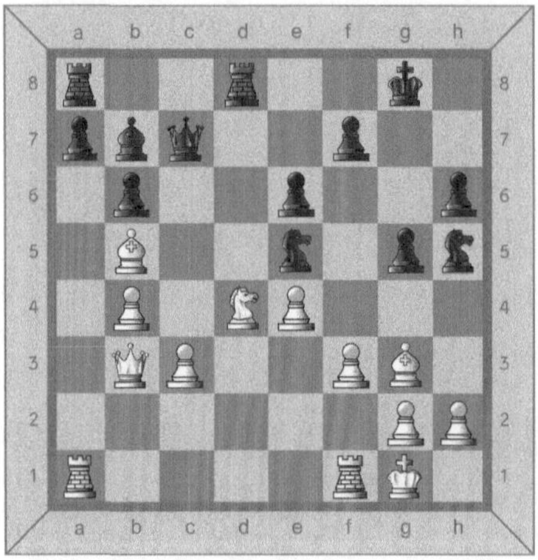

46. 黑先

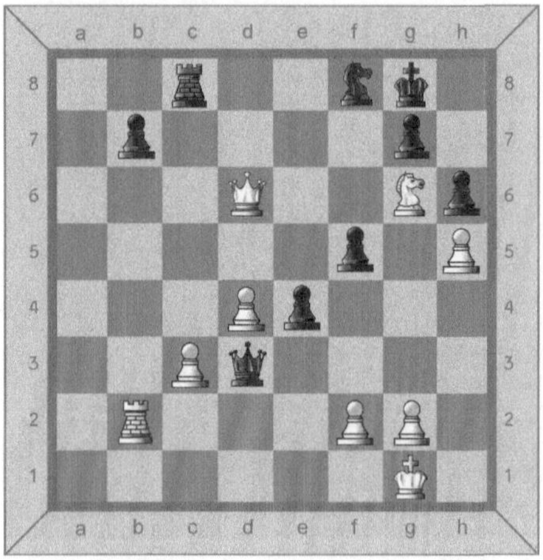

47. 白先

48. 白先

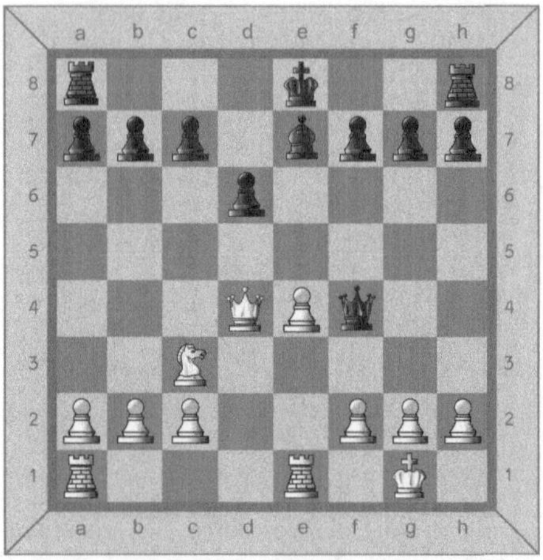

49. 白先

50. 白先

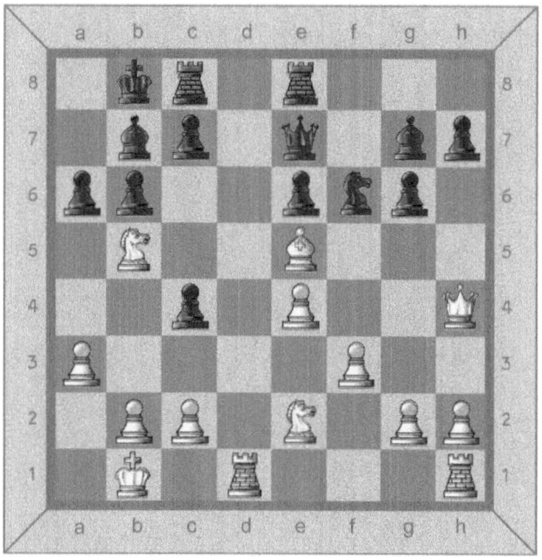

51. 黑先

52. 黑先

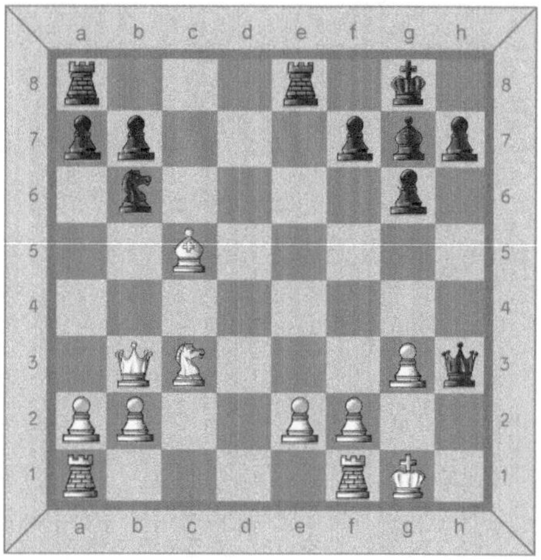

53. 白先

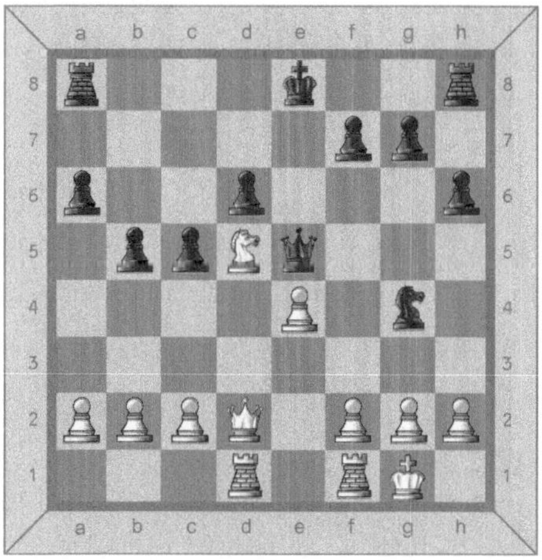

54. 白先

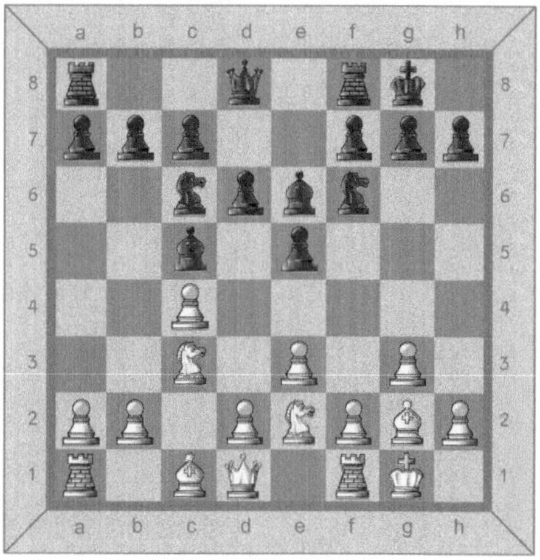

55. 白先

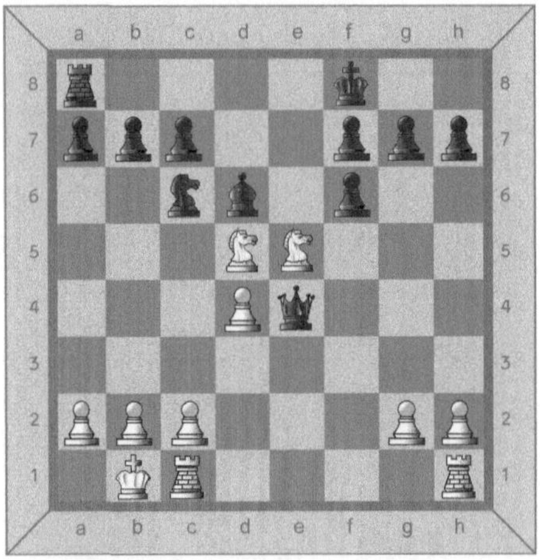

56. 白先

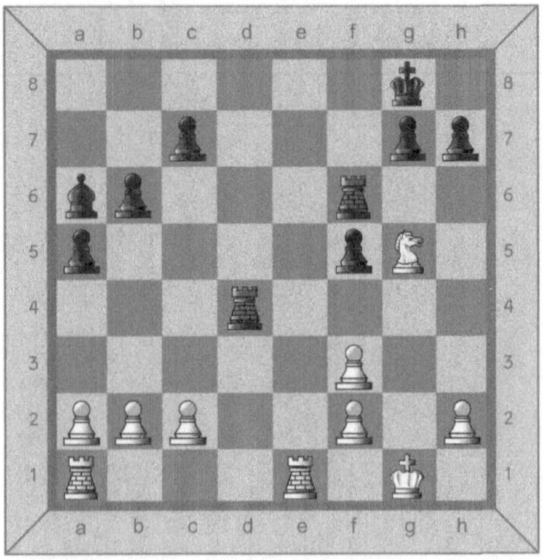

57. 白先

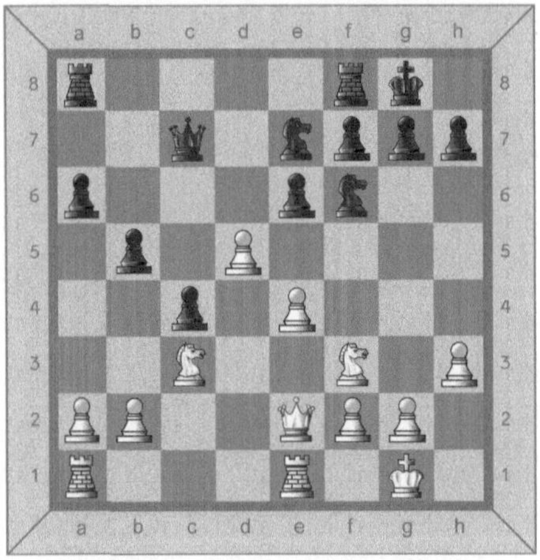

58. 黑先

59. 黑先

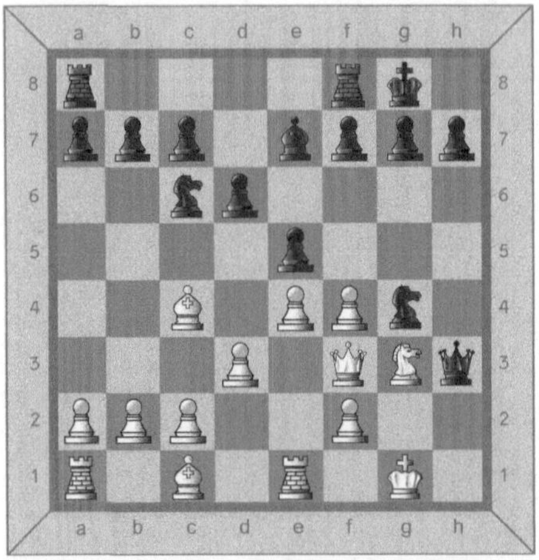

60. 白先

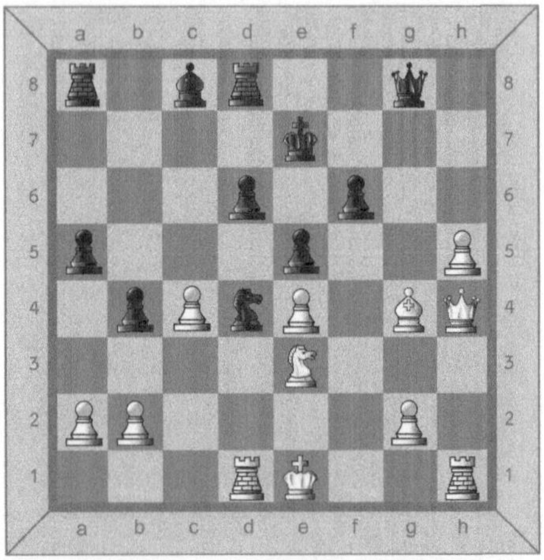

串击

难度：★

1. 黑先

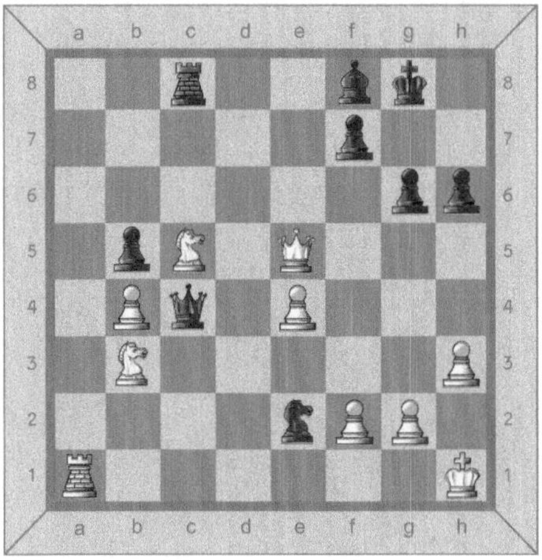

2. 白先

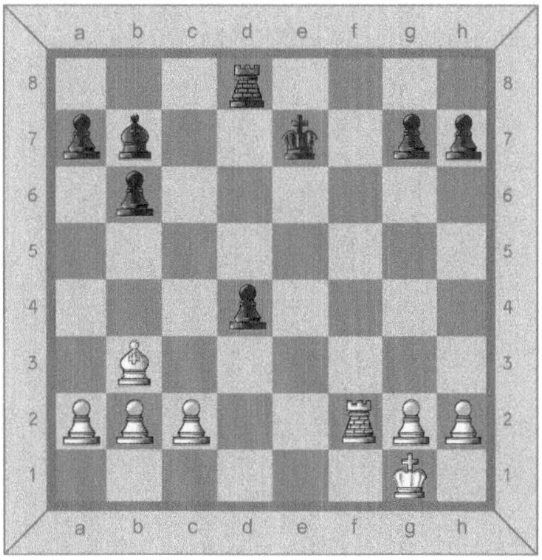

3. 白先

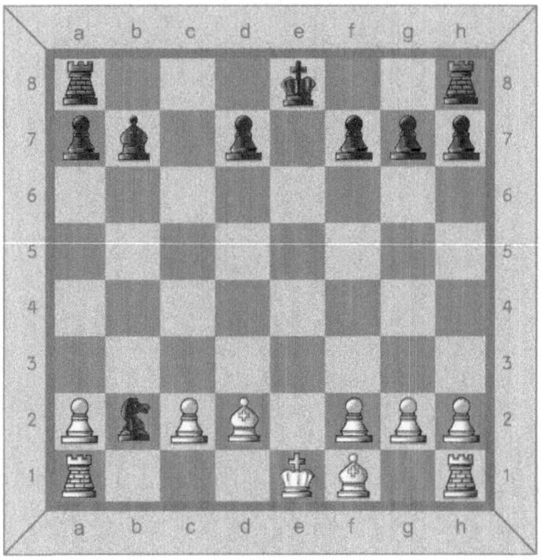

4. 白先

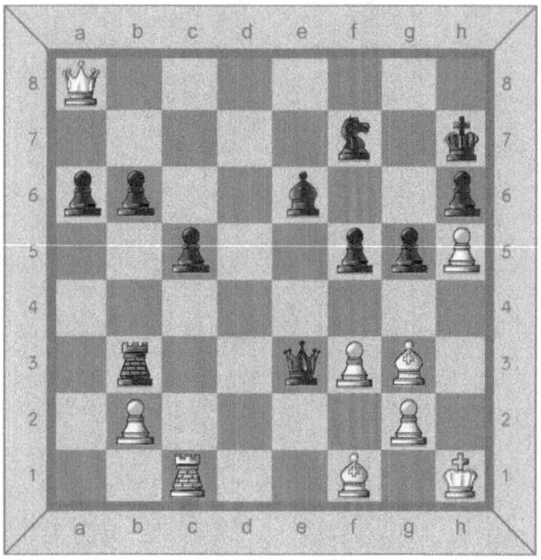

5. 黑先

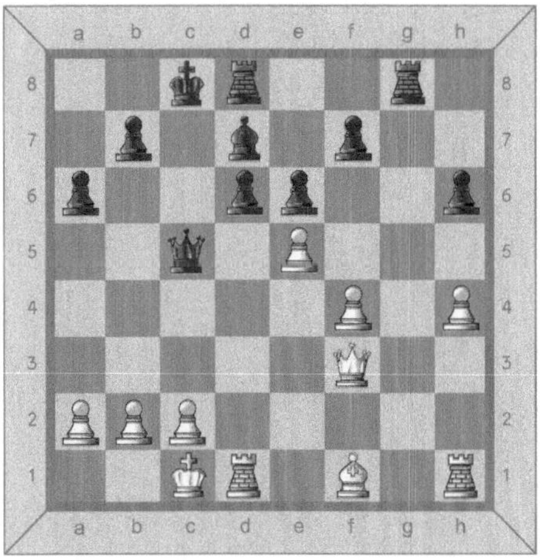

6. 白先

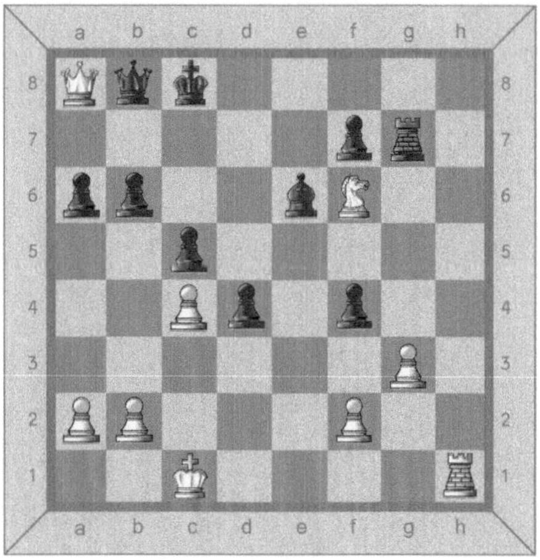

7. 白先

8. 黑先

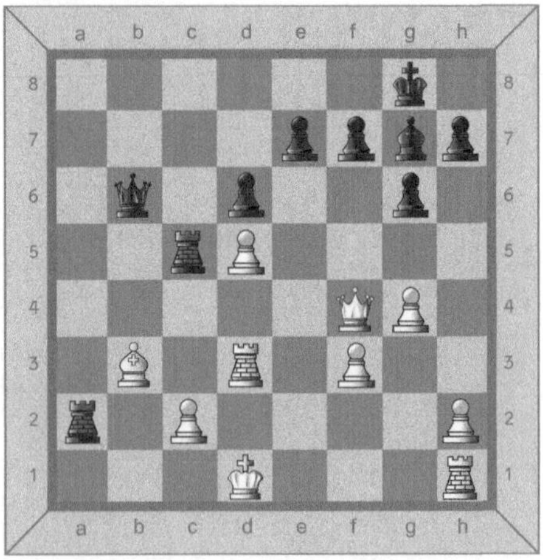

9. 黑先

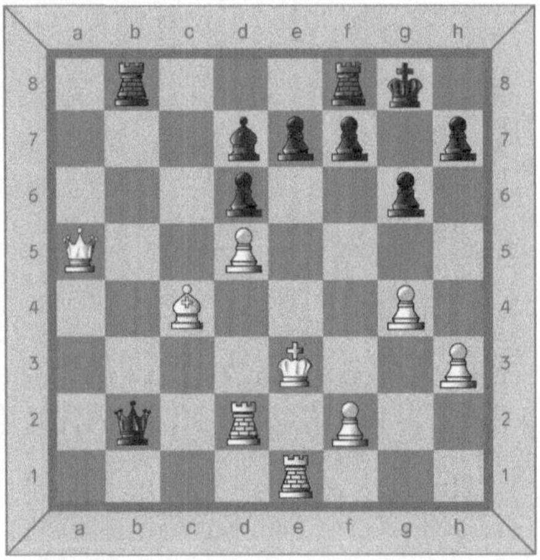

10. 黑先

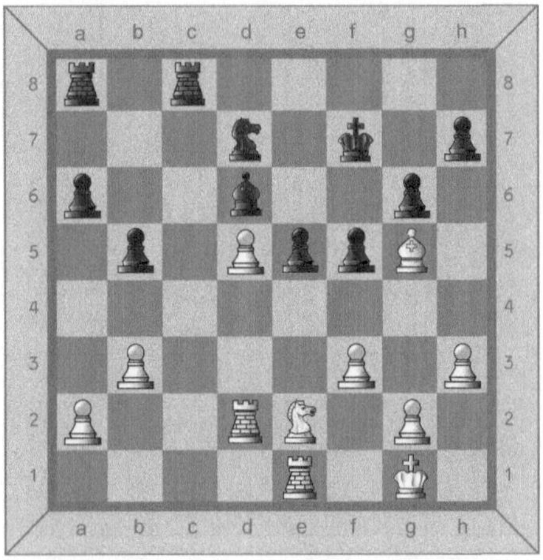

11. 黑先

12. 白先

13. 黑先

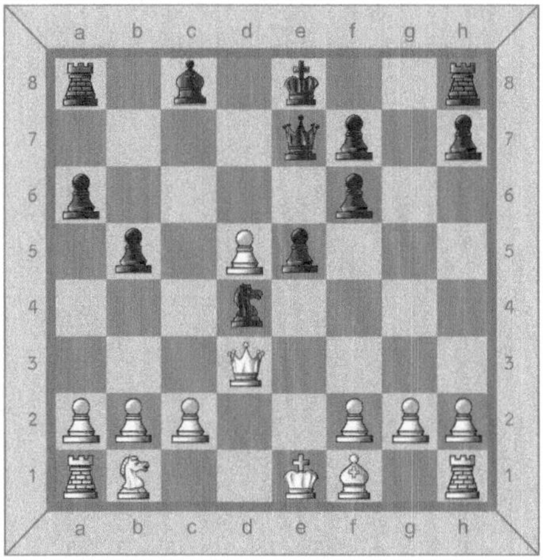

14. 黑先

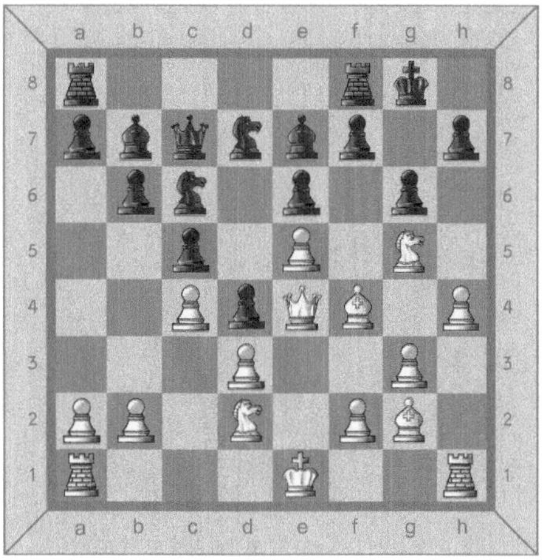

15. 黑先

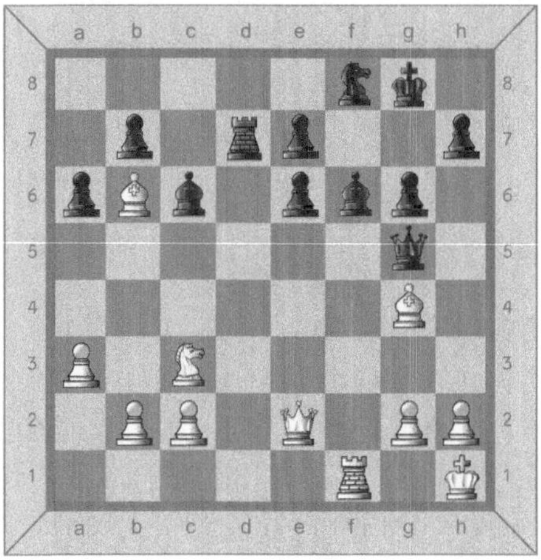

16. 黑先

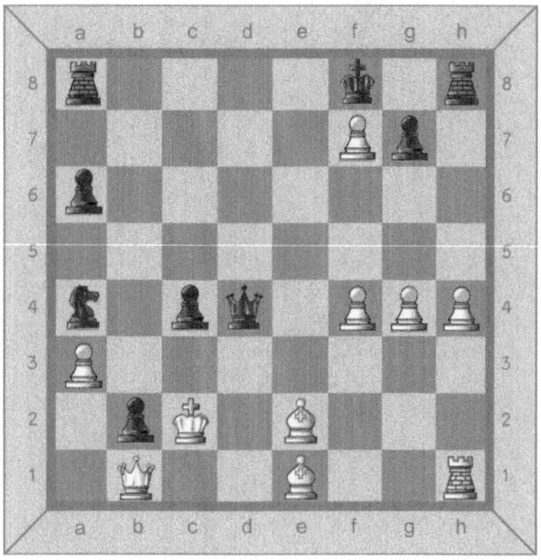

17. 黑先

18. 黑先

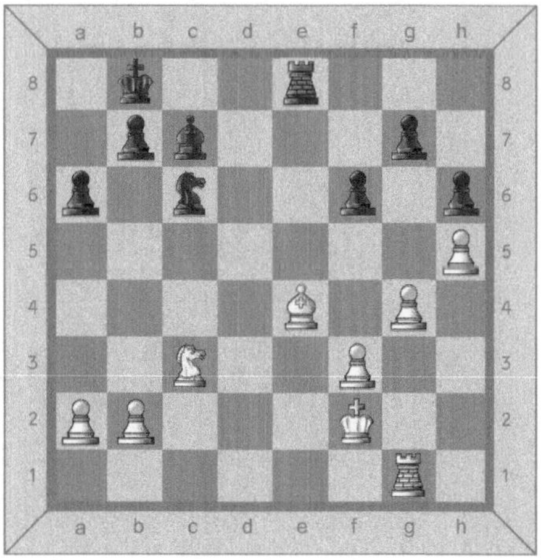

难度：★★

19. 白先

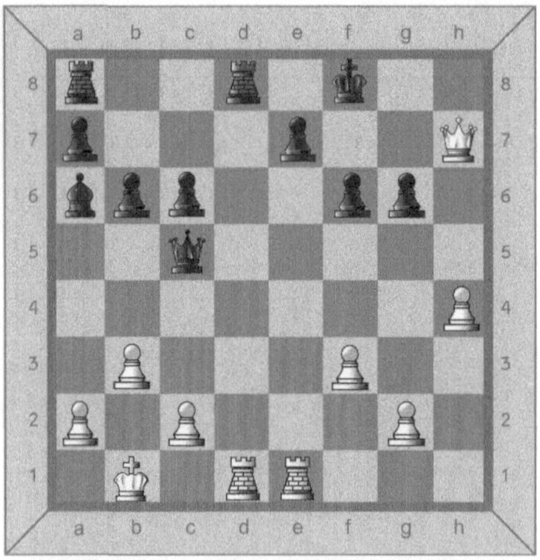

20. 黑先

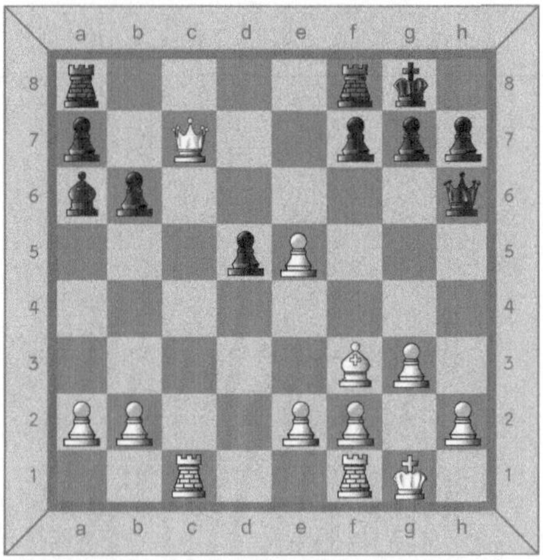

21. 白先

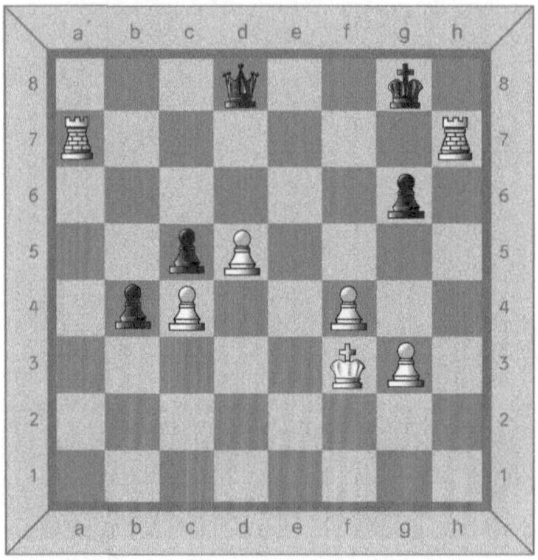

22. 黑先

23. 白先

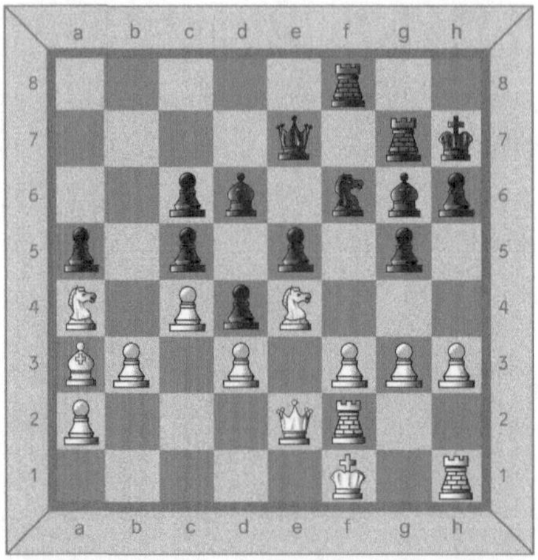

24. 白先

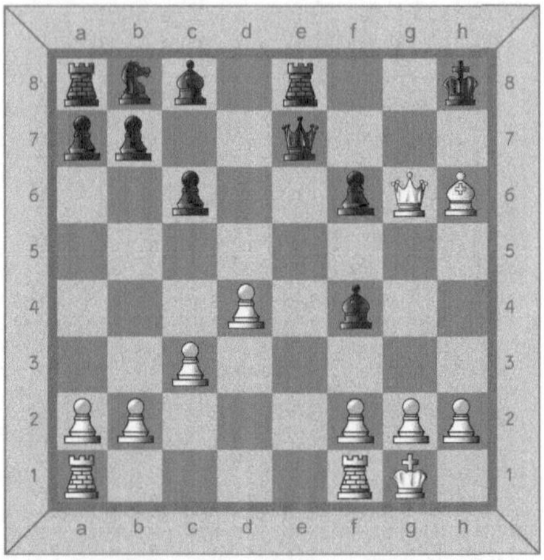

25. 黑先

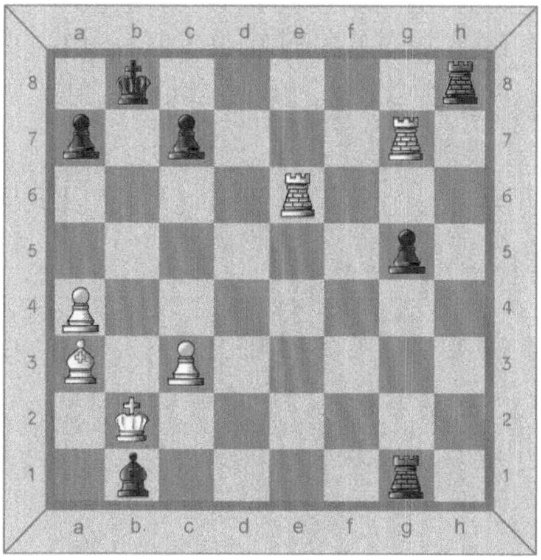

26. 白先

27. 白先

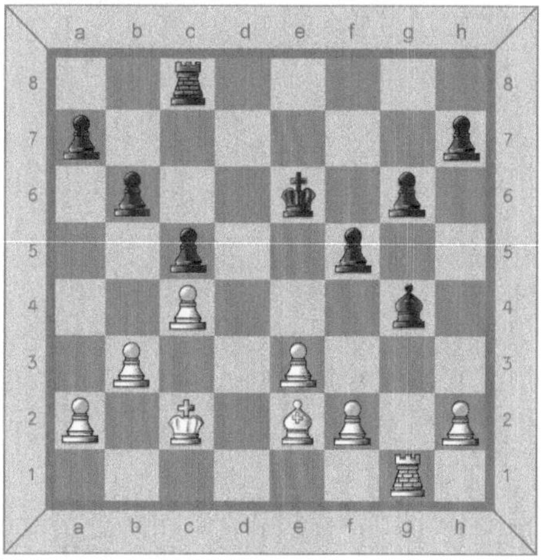

28. 白先

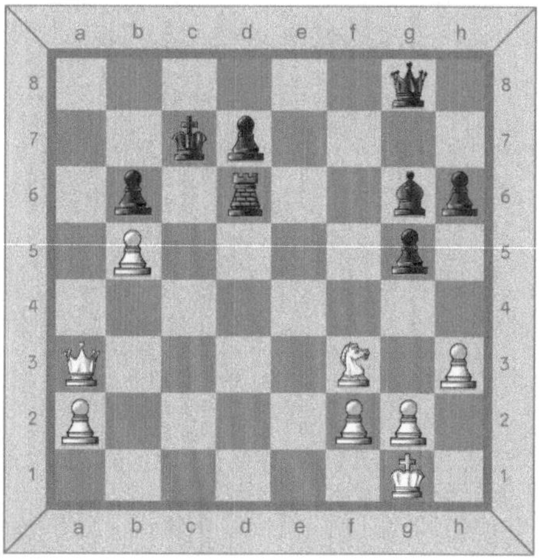

29. 黑先

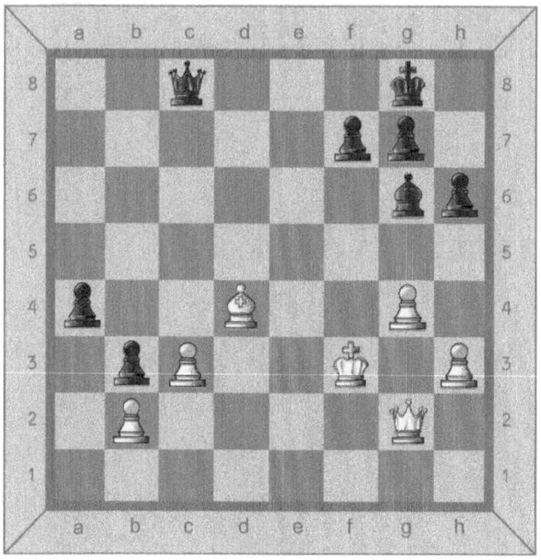

30. 白先

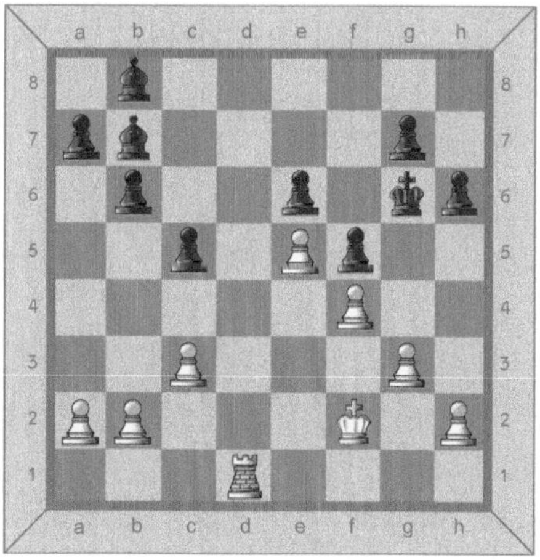

难度：★

1. 白先

2. 白先

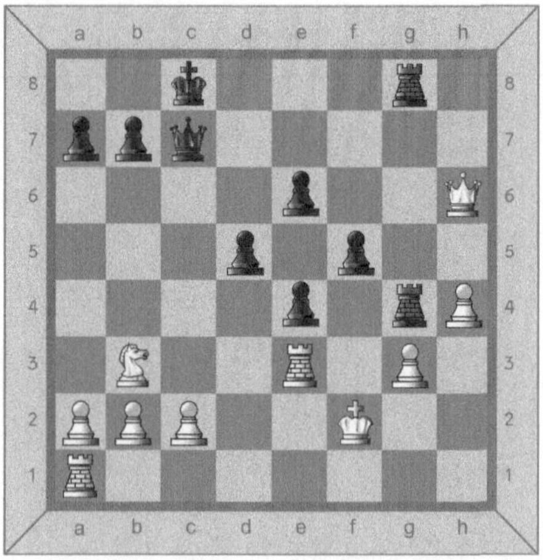

3. 黑先

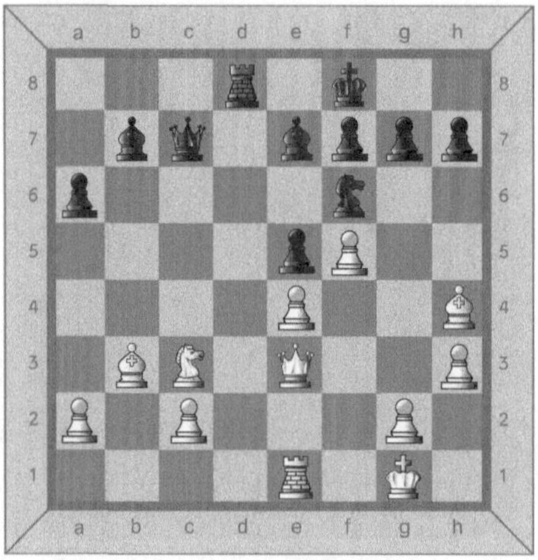

4. 黑先

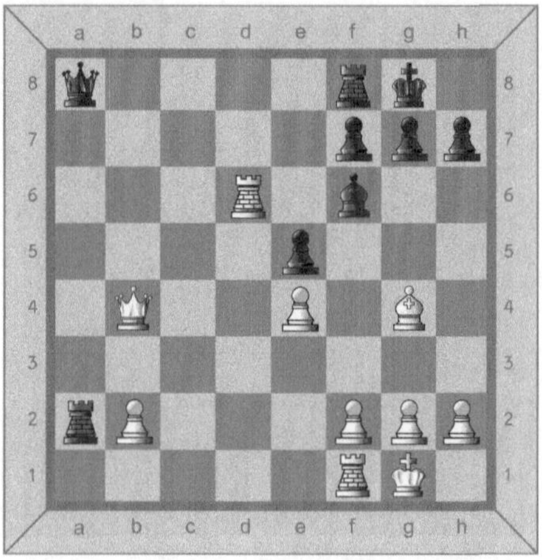

5. 白先

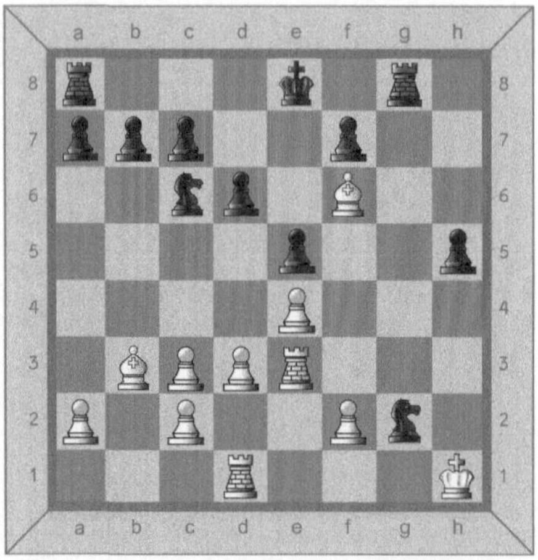

6. 黑先

7. 黑先

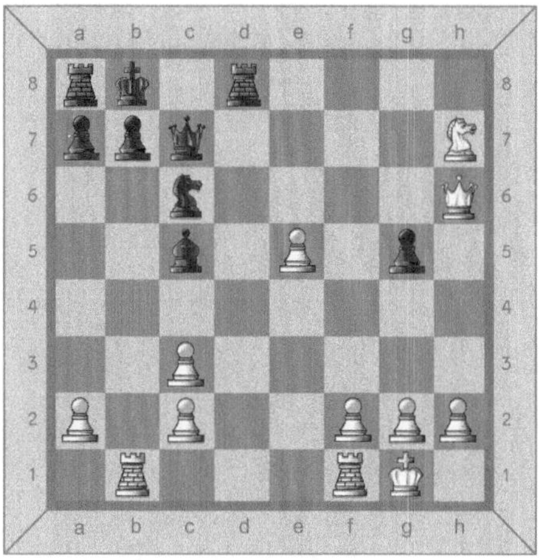

8. 白先

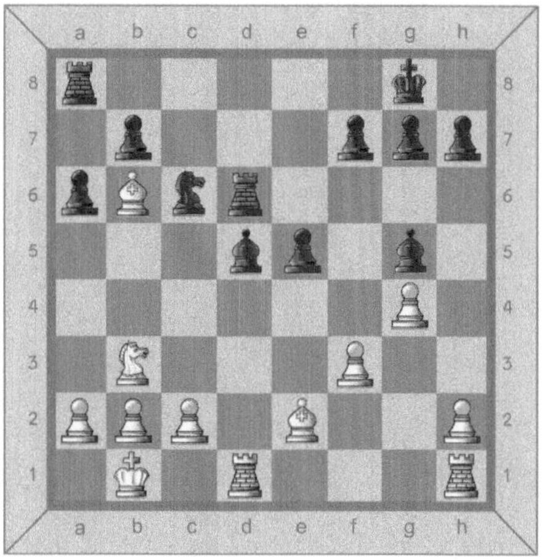

9. 黑先

10. 白先

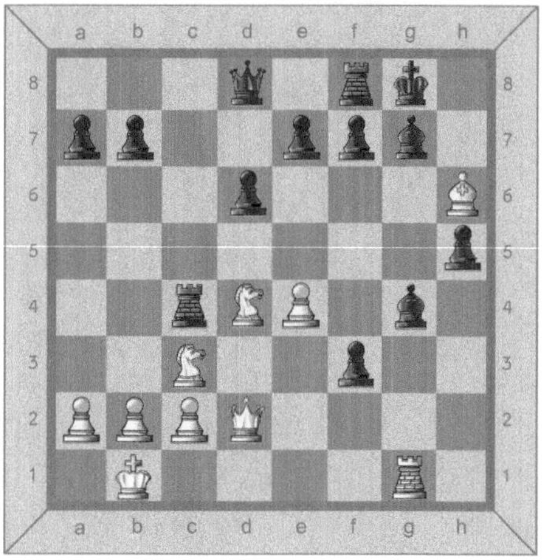

11. 白先

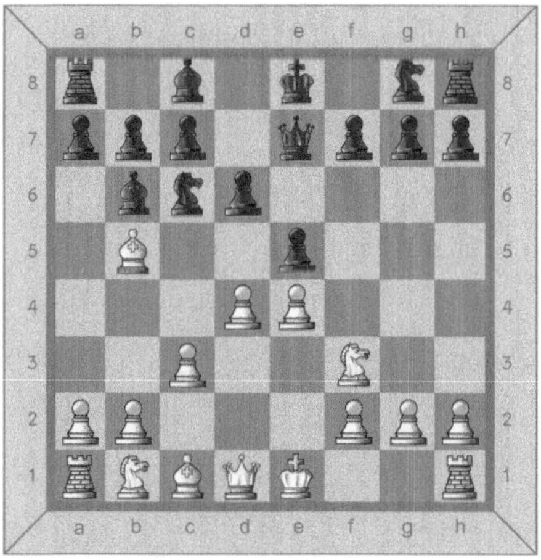

12. 白先

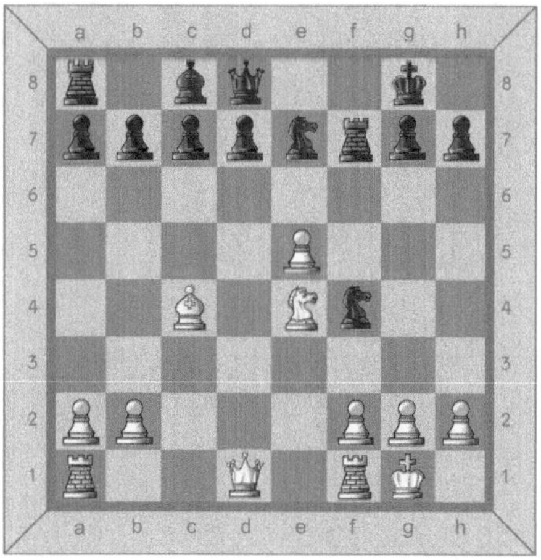

13. 白先

14. 白先

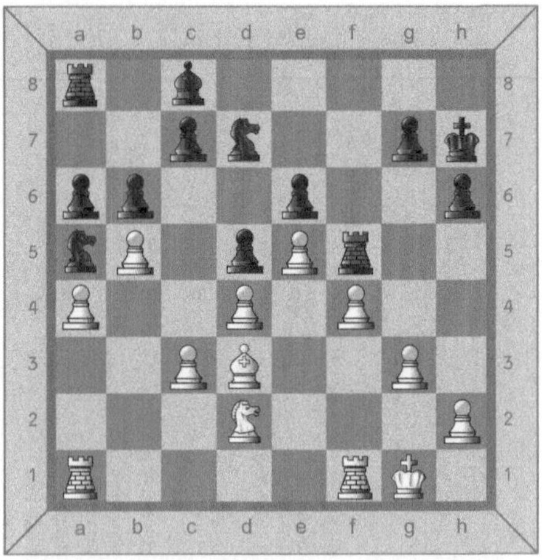

15. 黑先

16. 黑先

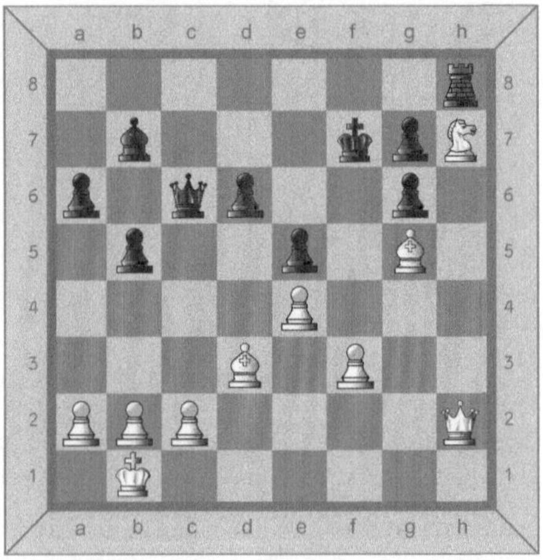

17. 白先

18. 白先

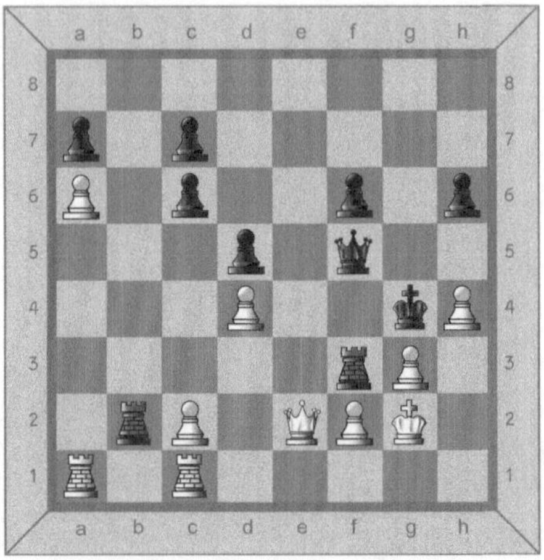

19. 白先

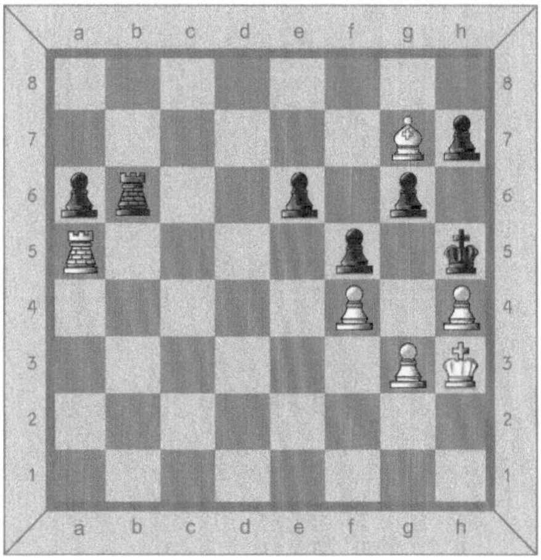

20. 白先

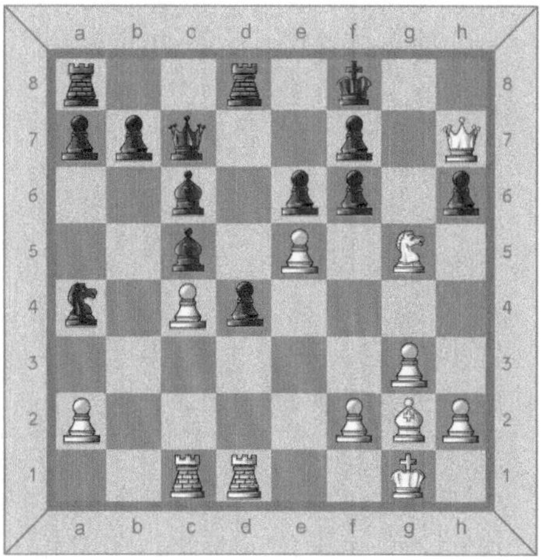

21. 白先

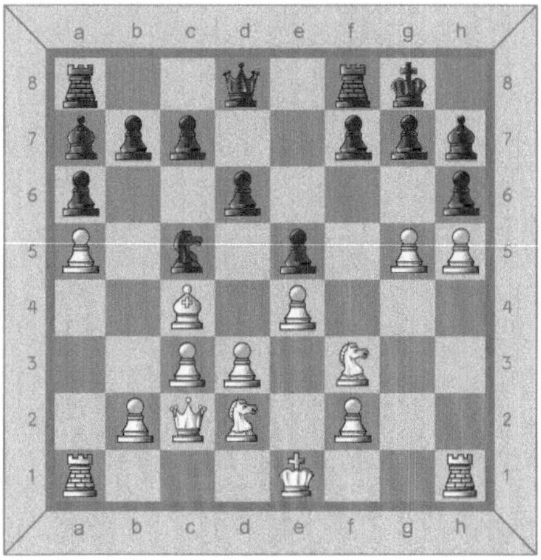

22. 白先

23. 白先

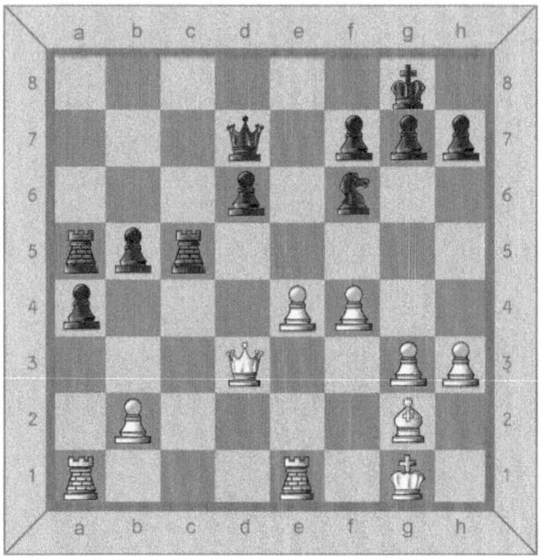

24. 黑先

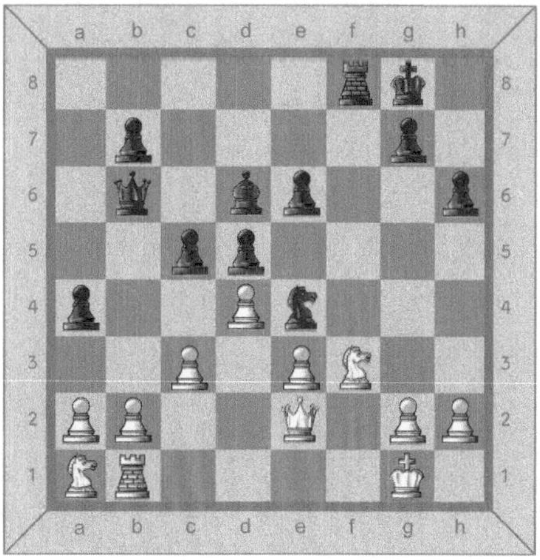

25. 白先

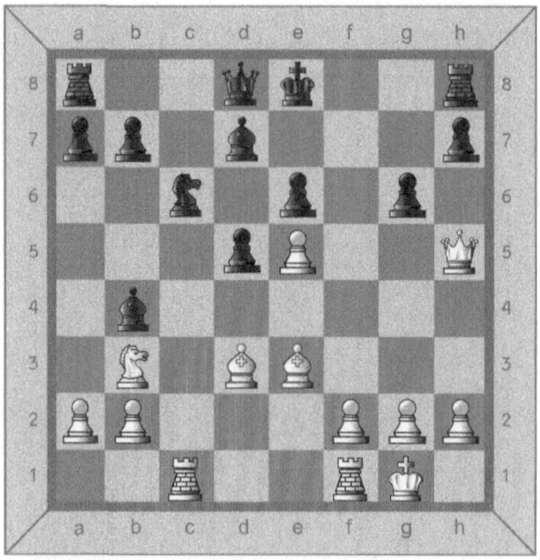

26. 白先

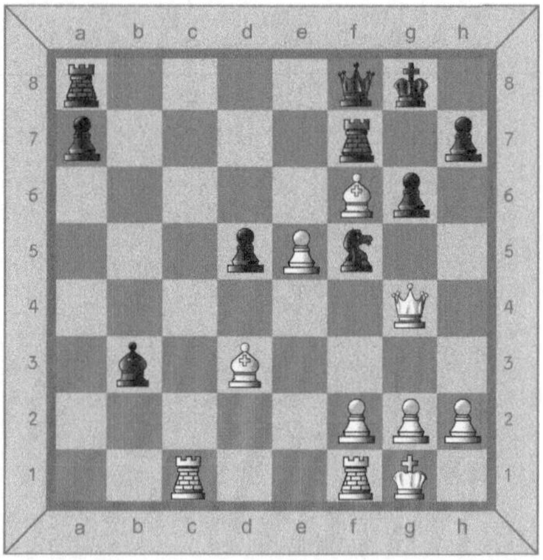

27. 黑先

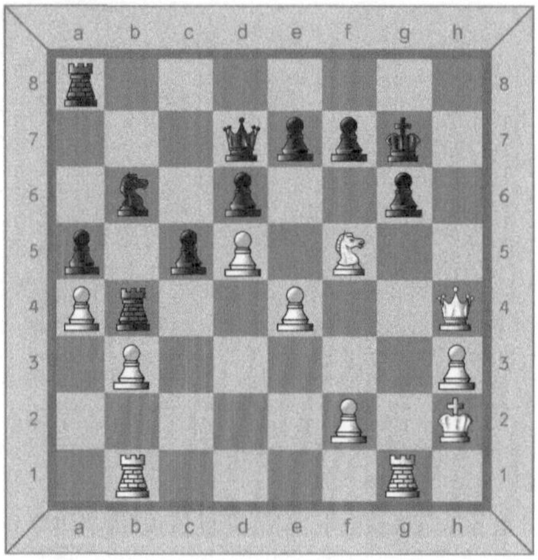

28. 白先

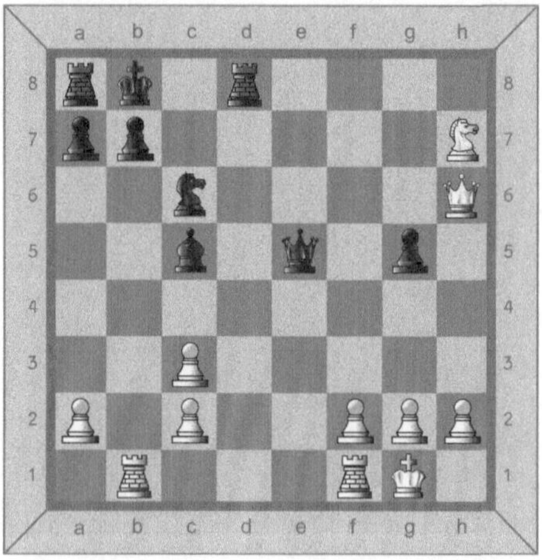

29. 白先

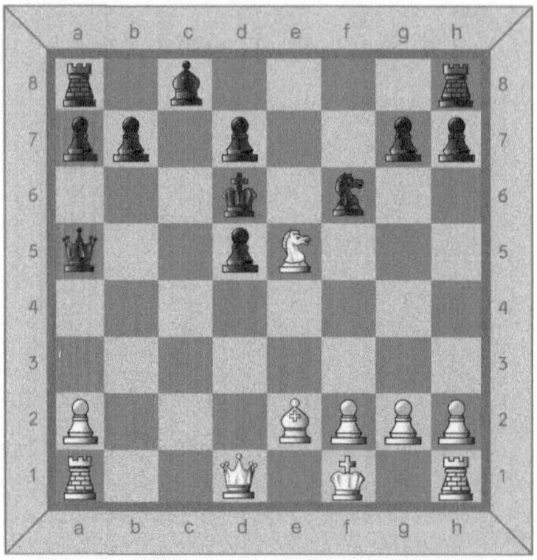

30. 黑先

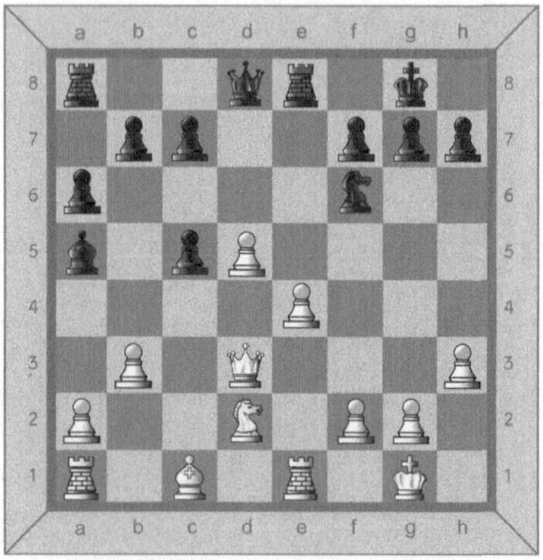

难度：★★

31. 白先

32. 白先

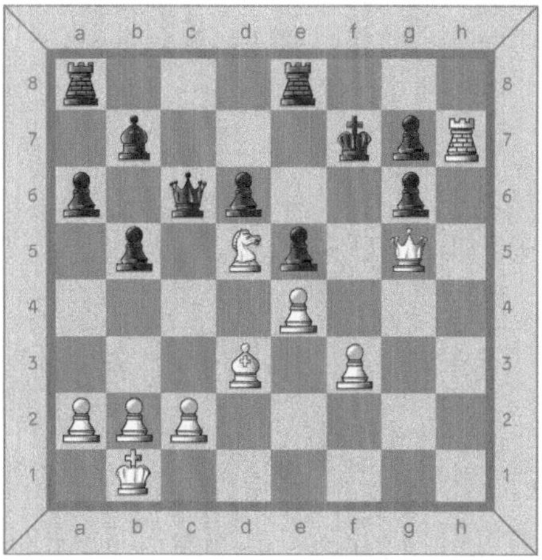

33. 黑先

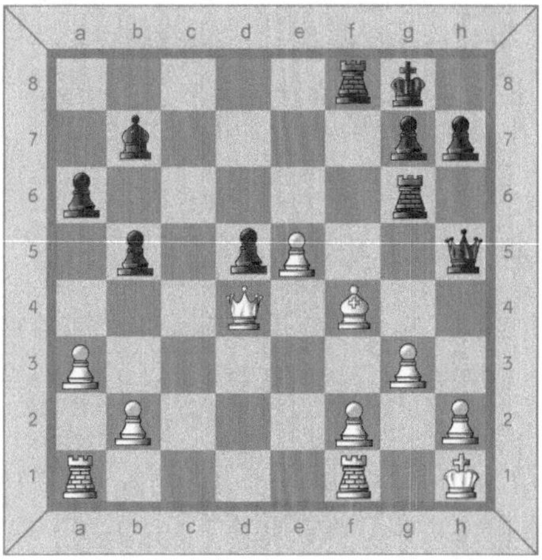

34. 黑先

35. 黑先

36. 白先

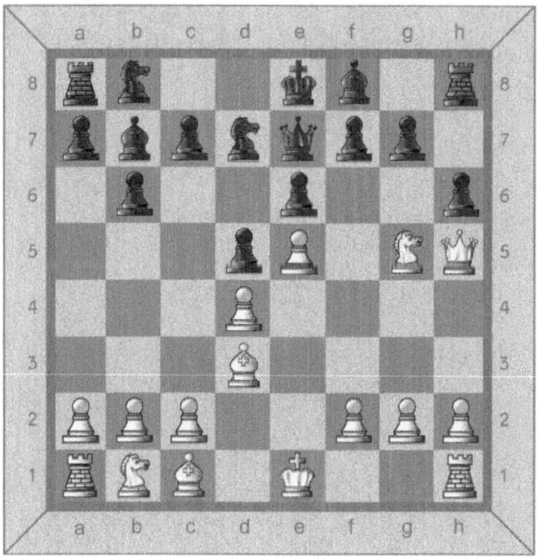

37. 白先

38. 黑先

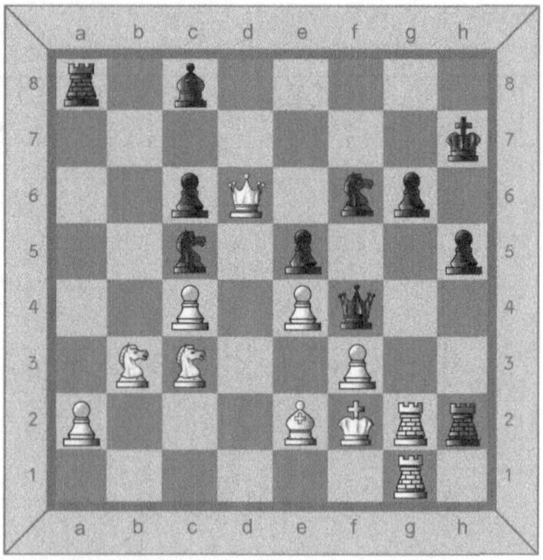

39. 白先

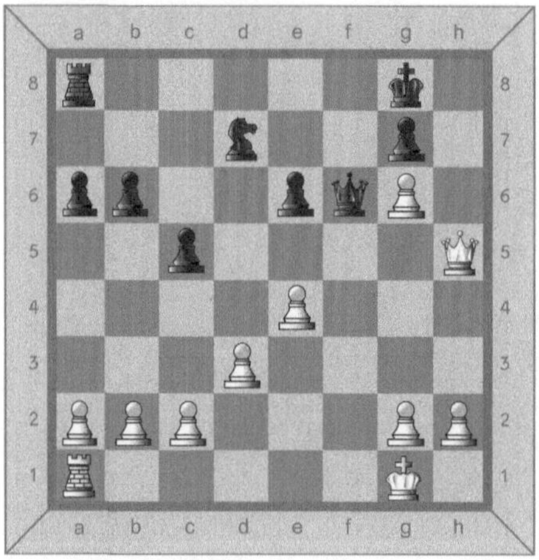

40. 白先

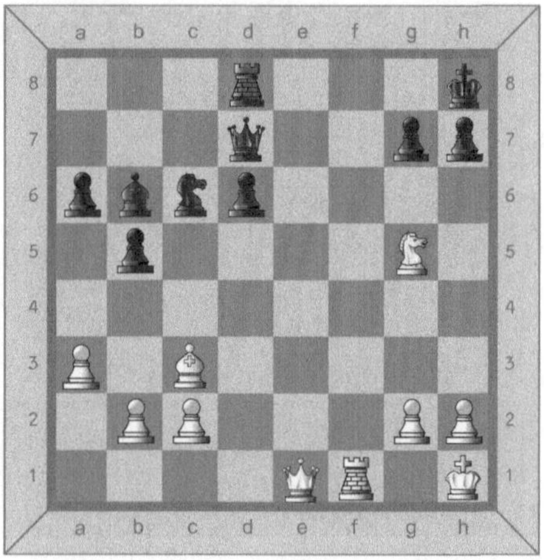

41. 白先

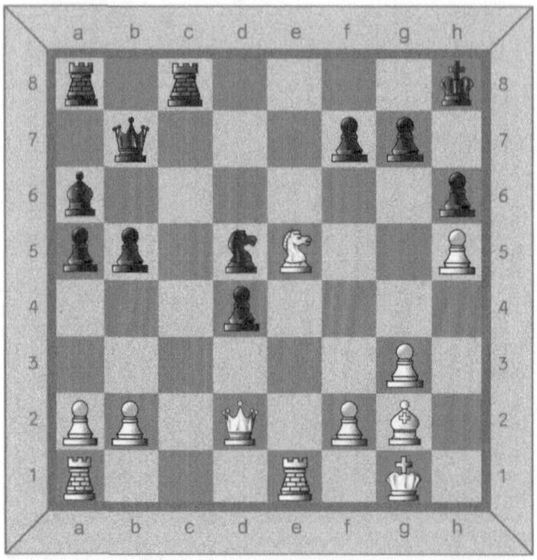

42. 黑先

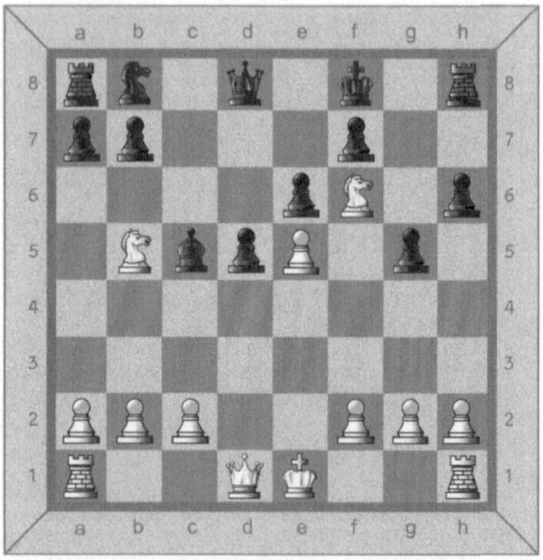

43. 黑先

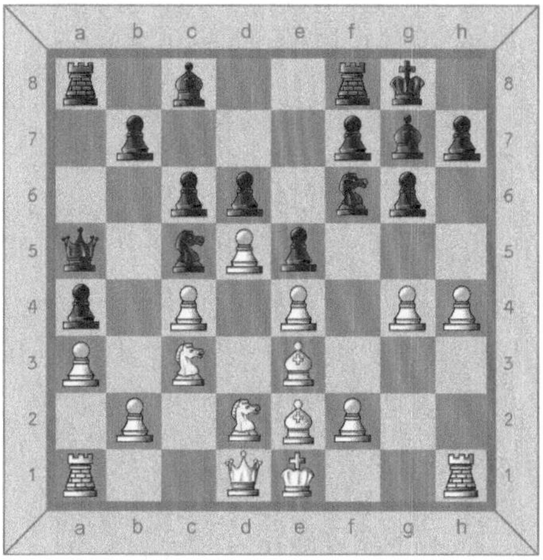

44. 白先

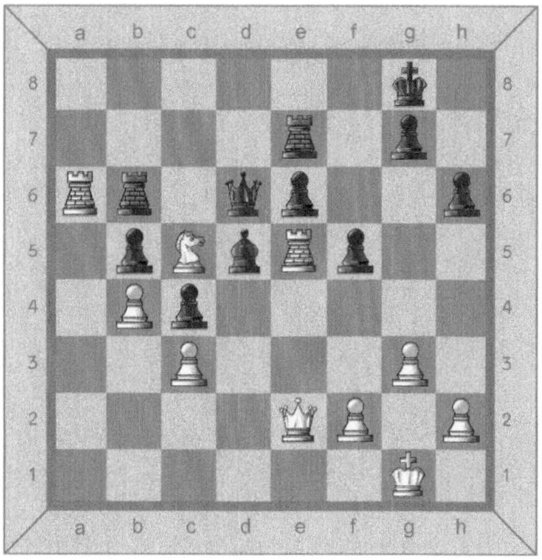

45. 白先

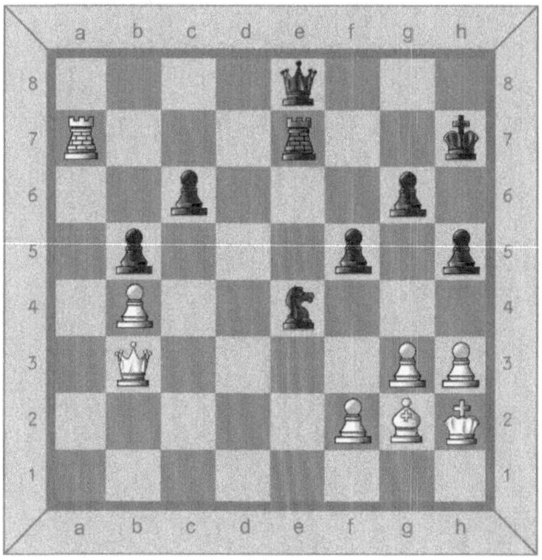

46. 黑先

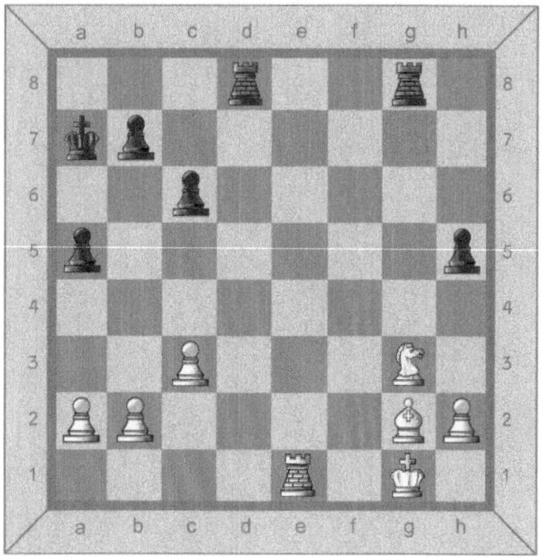

47. 白先

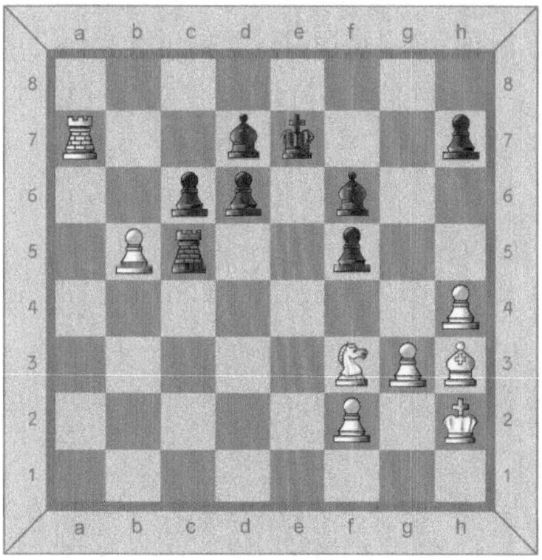

48. 黑先

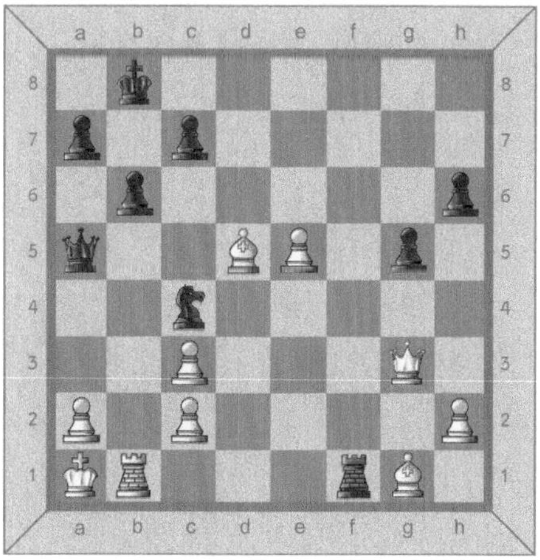

49. 白先

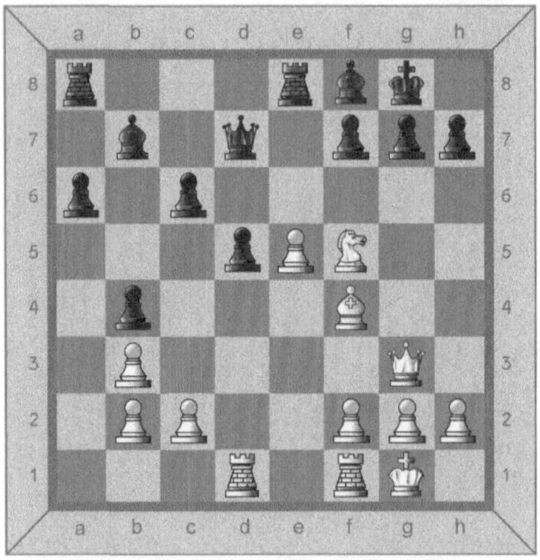

50. 白先

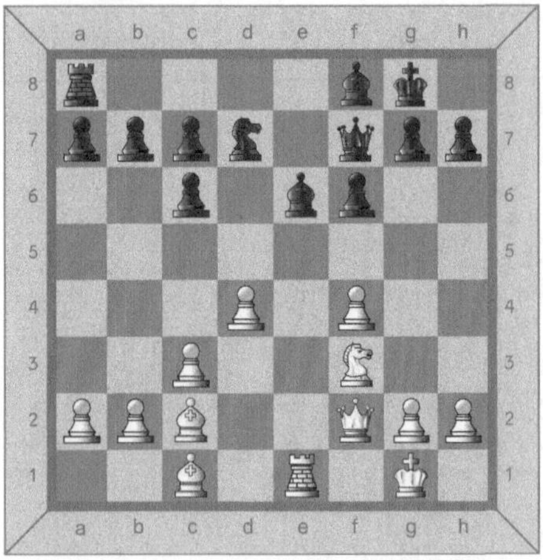

51. 白先

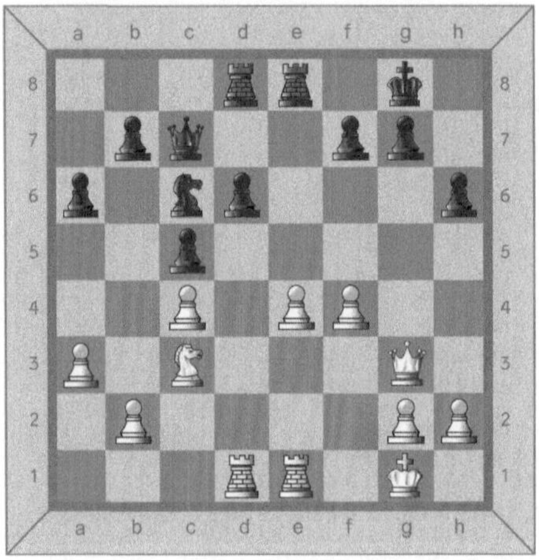

52. 白先

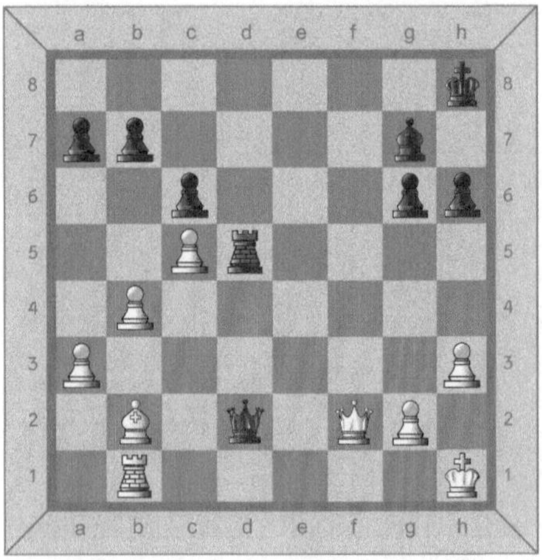

53. 白先

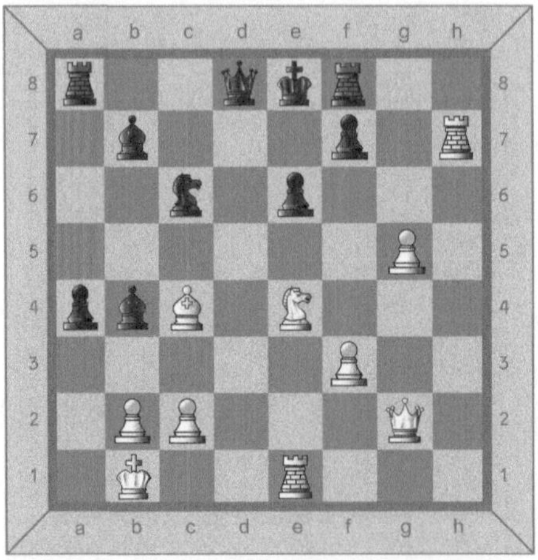

54. 白先

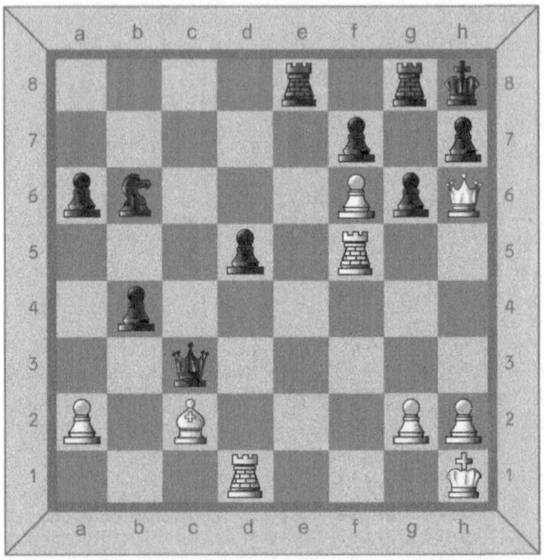

55. 白先

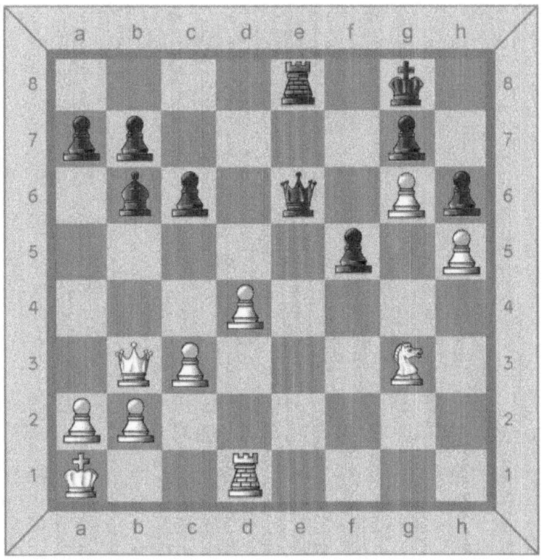

56. 白先

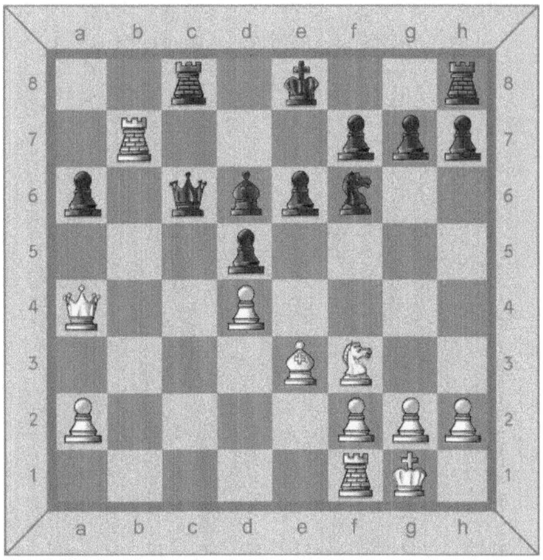

57. 白先

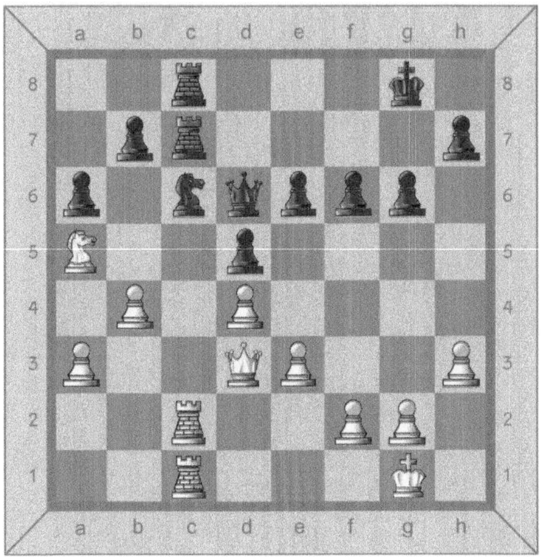

58. 白先

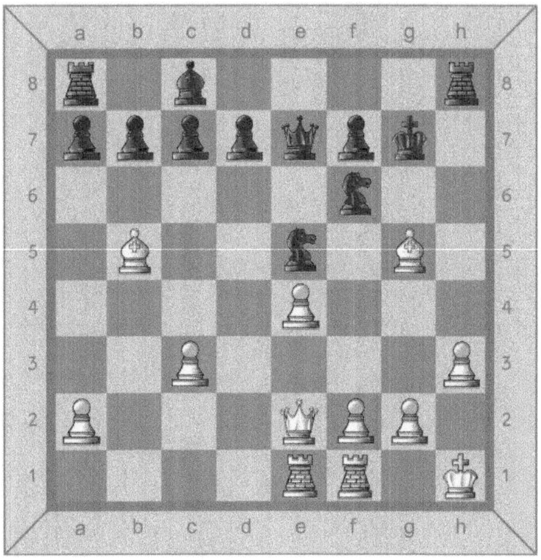

59. 白先

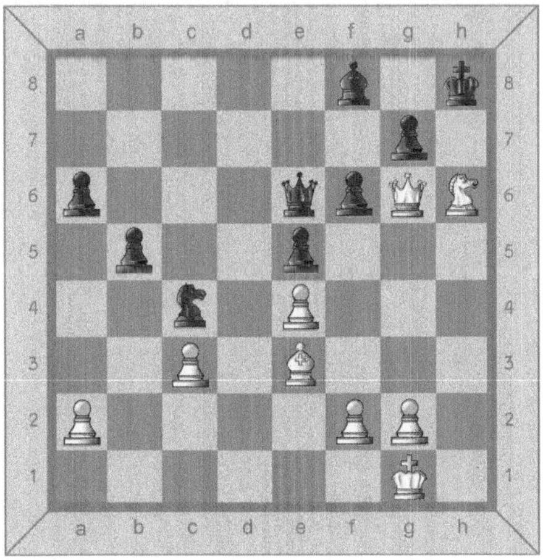

60. 黑先

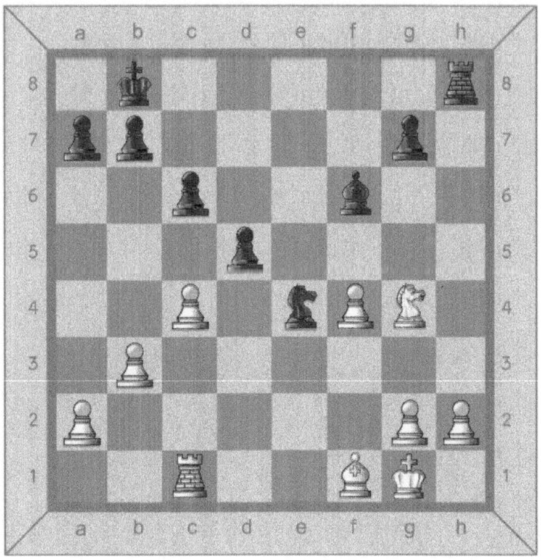

难度：★

1. 黑先

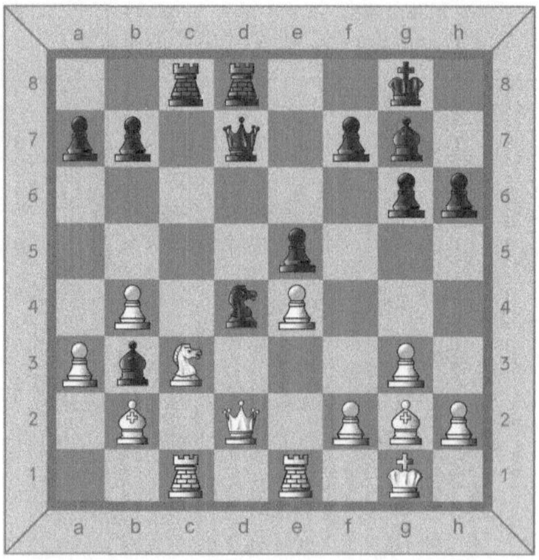

2. 黑先

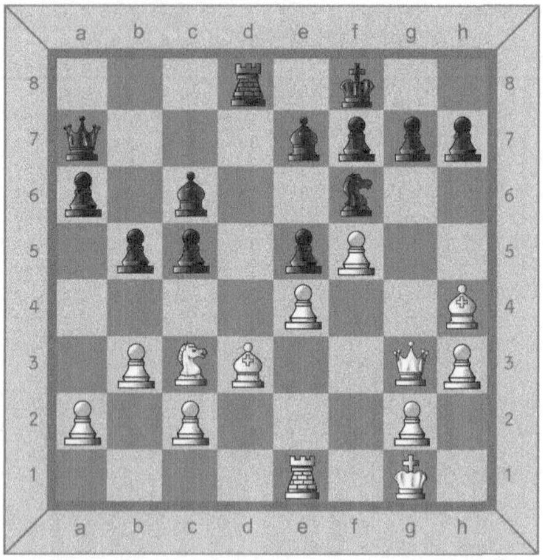

3. 白先

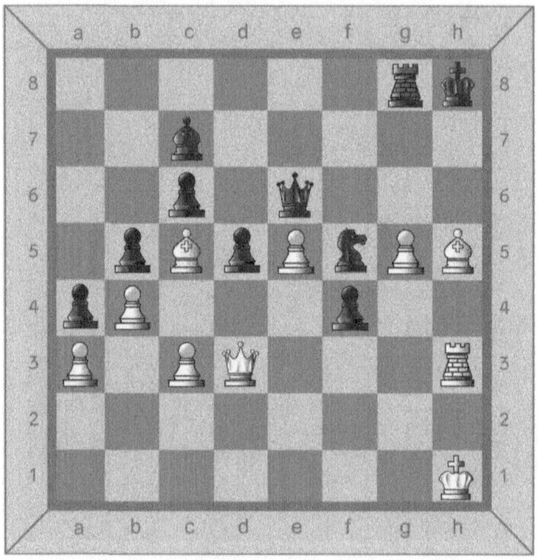

4. 白先

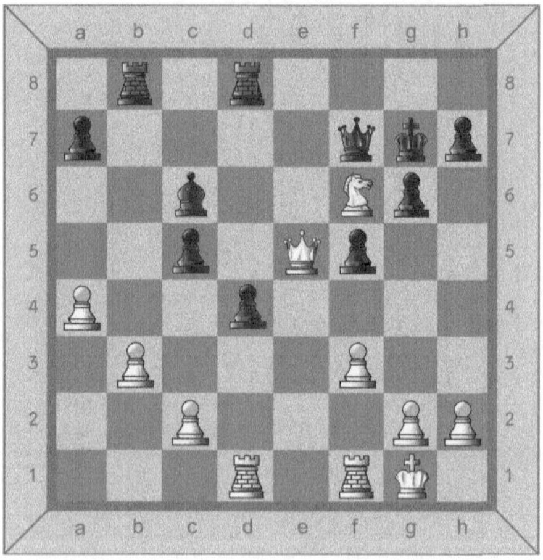

5. 白先

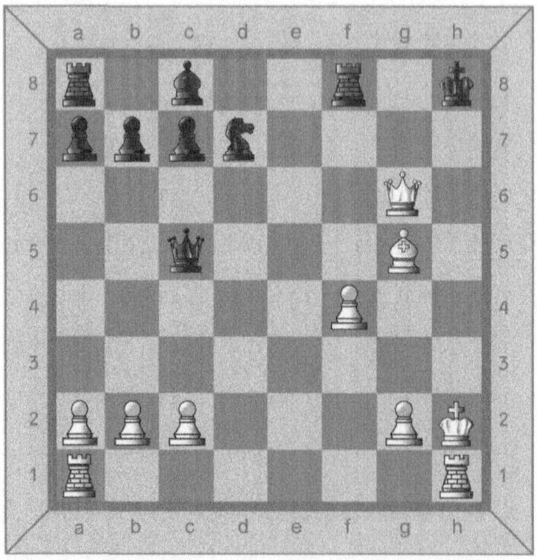

6. 白先

双将、闪将和闪击

7. 白先

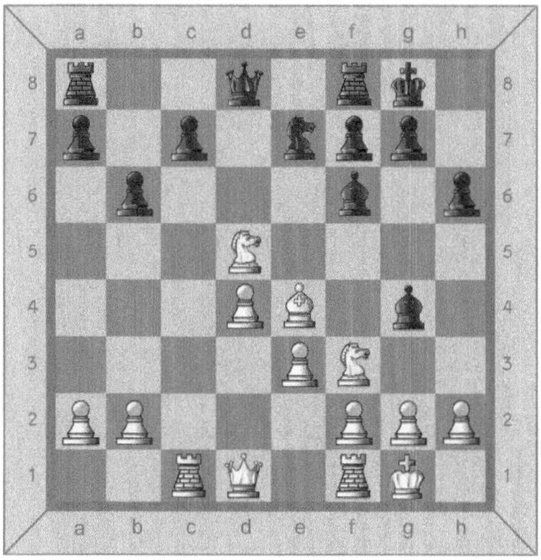

8. 白先

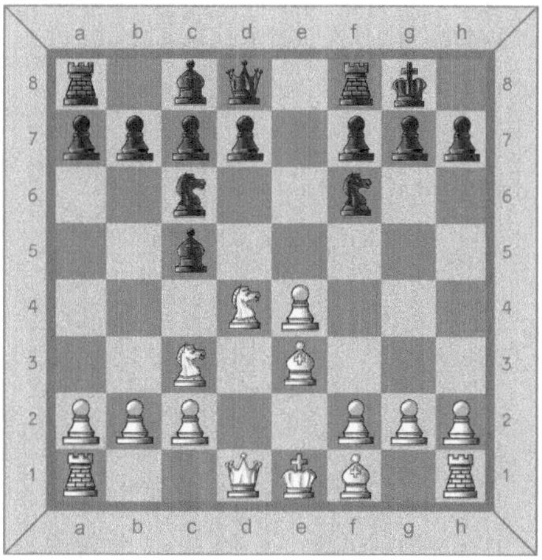

9. 黑先

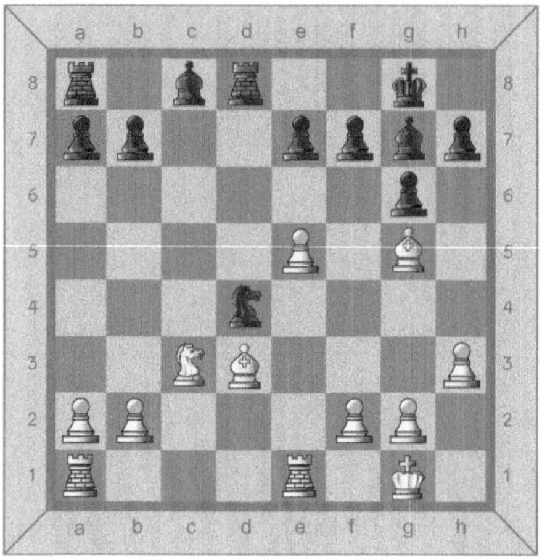

10. 白先

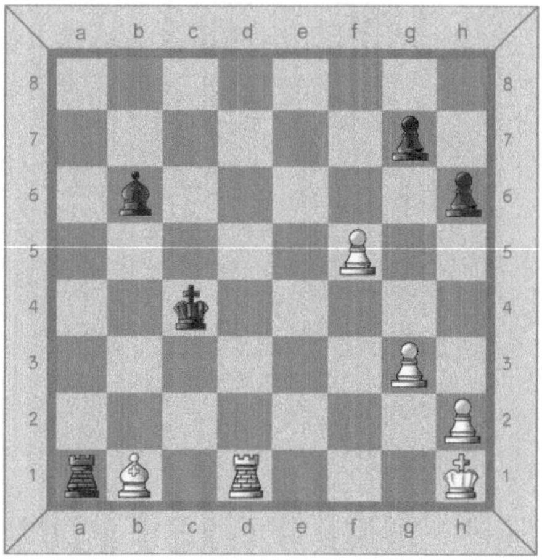

11. 白先

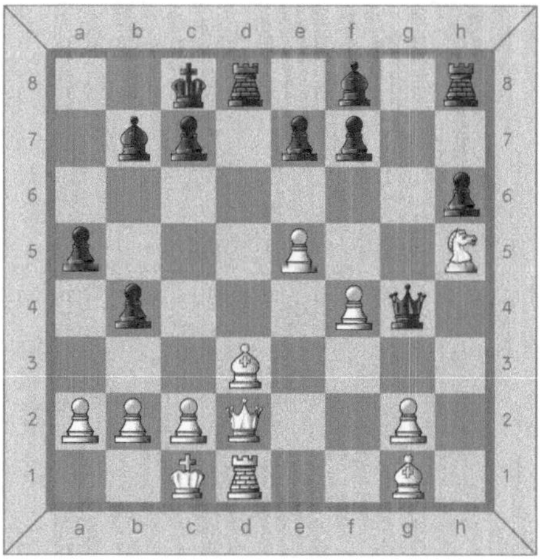

12. 黑先

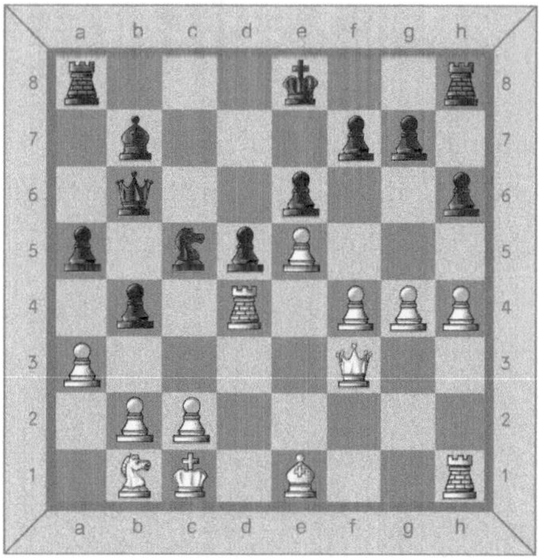

13. 白先

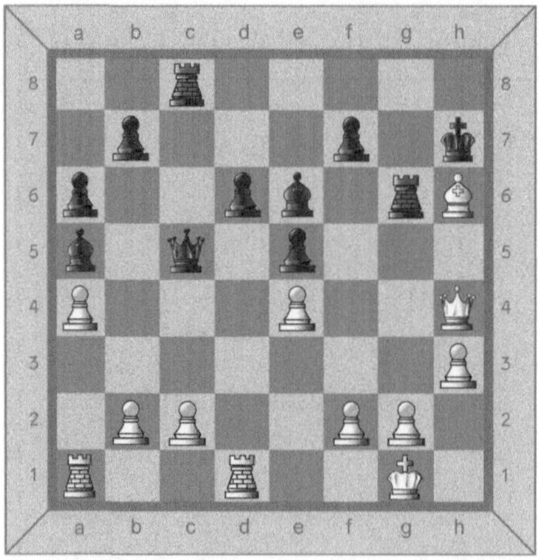

14. 黑先

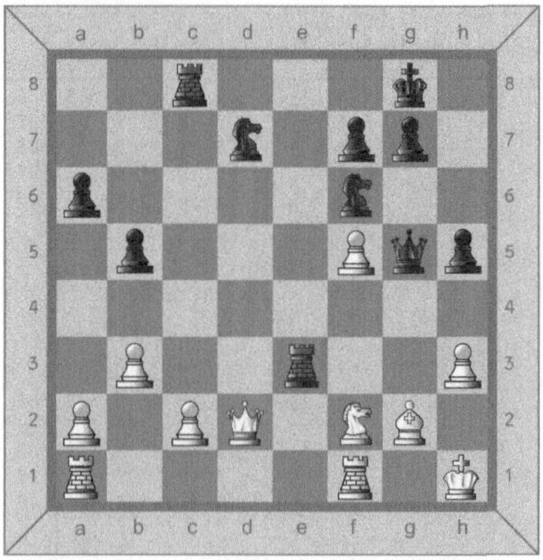

15. 黑先

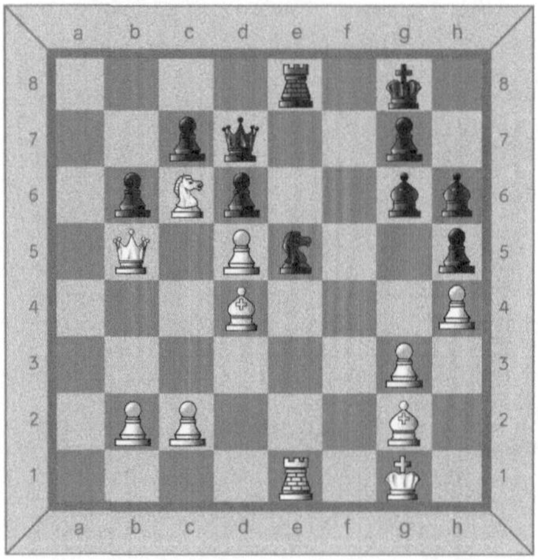

16. 黑先

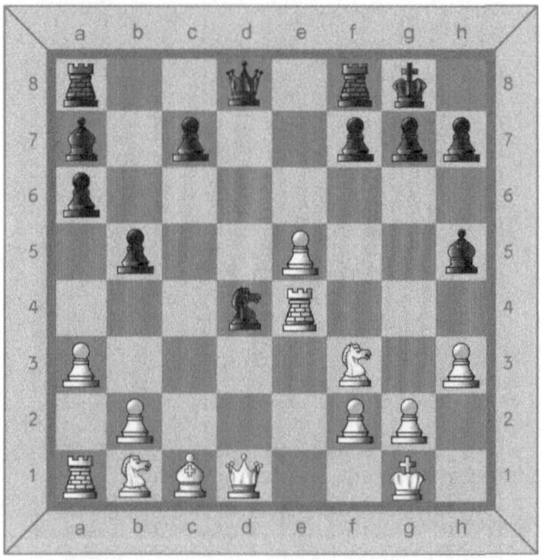

17. 白先

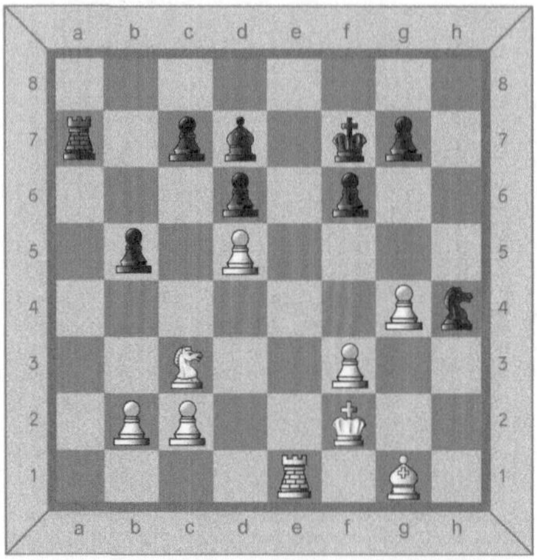

18. 白先

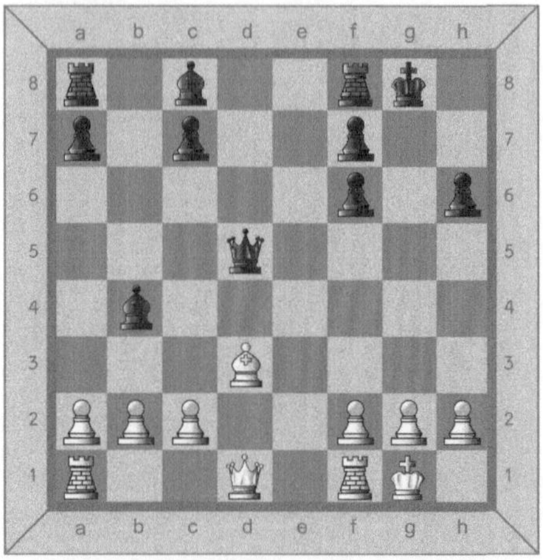

19. 黑先

20. 黑先

21. 白先

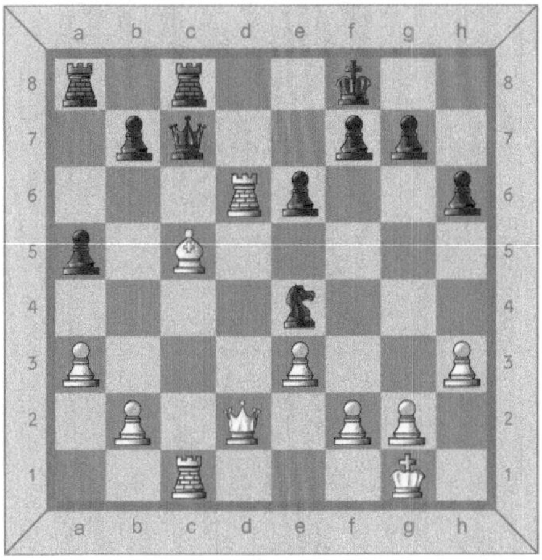

22. 白先

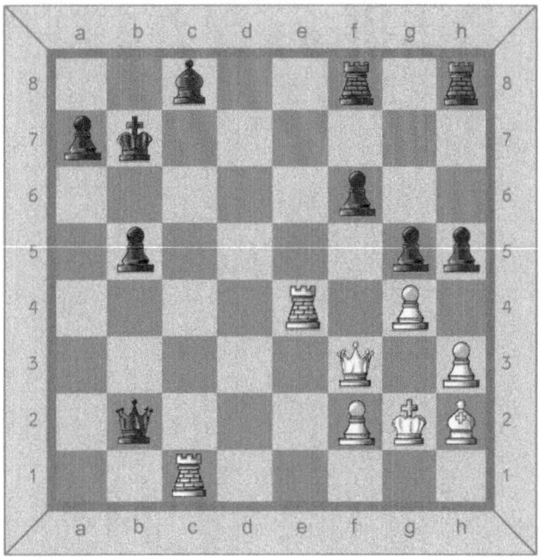

23. 黑先

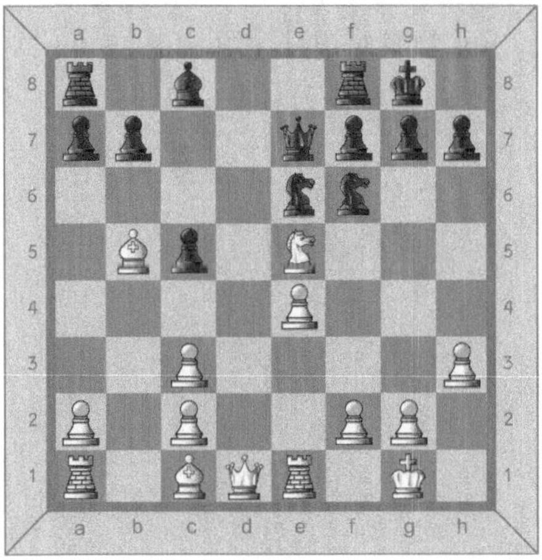

24. 白先

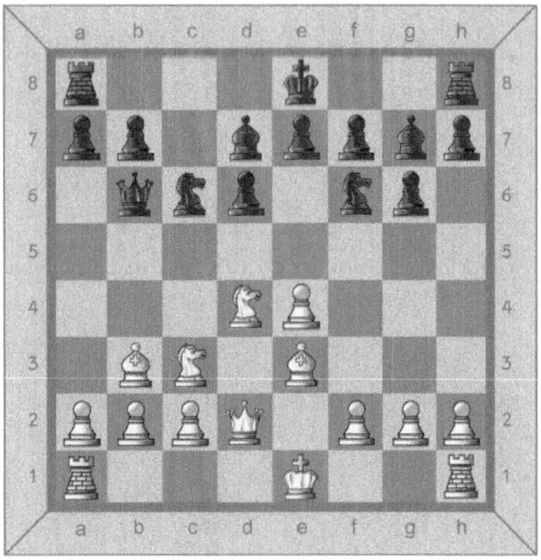

25. 白先

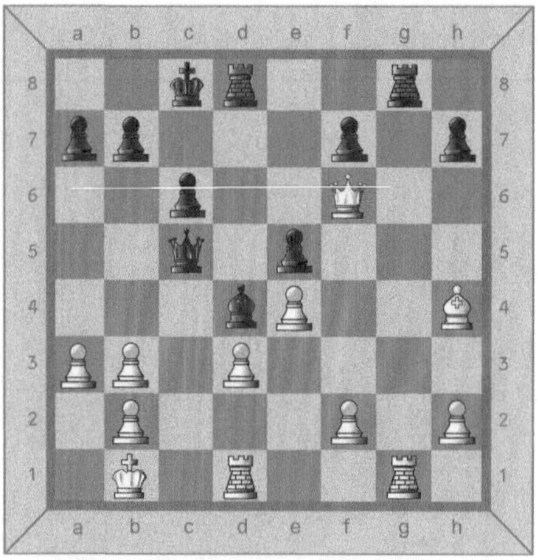

26. 白先

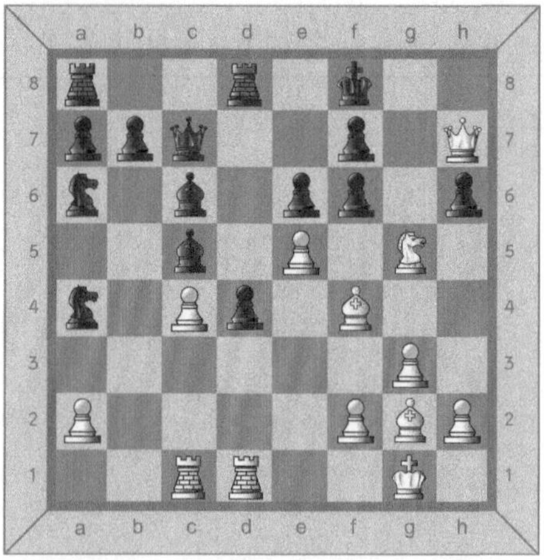

27. 白先

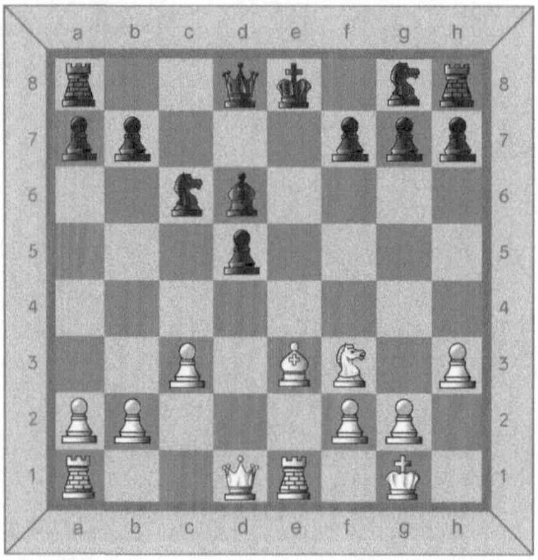

28. 白先

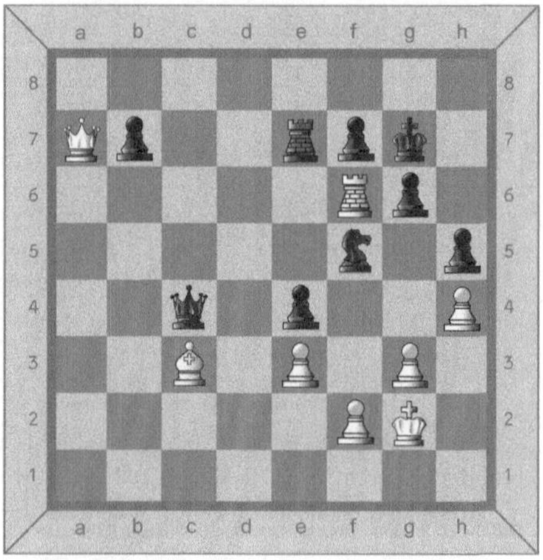

29. 白先

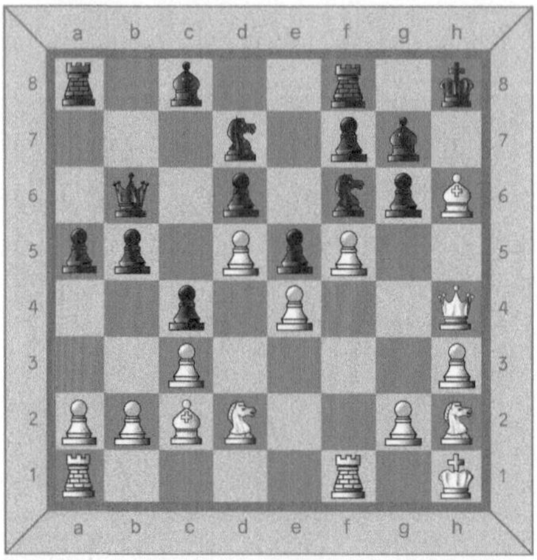

30. 白先

31. 白先

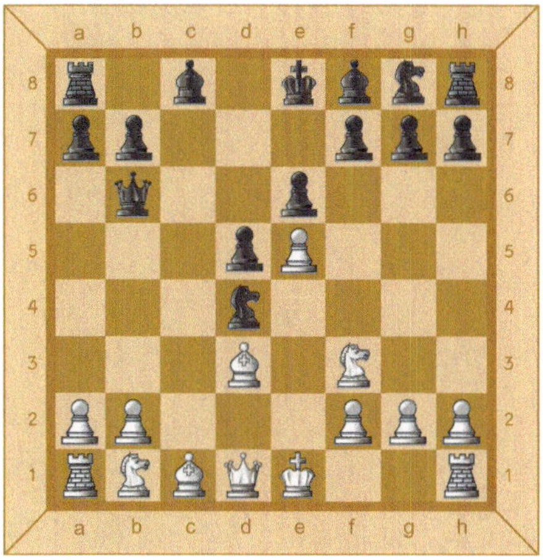

32. 黑先

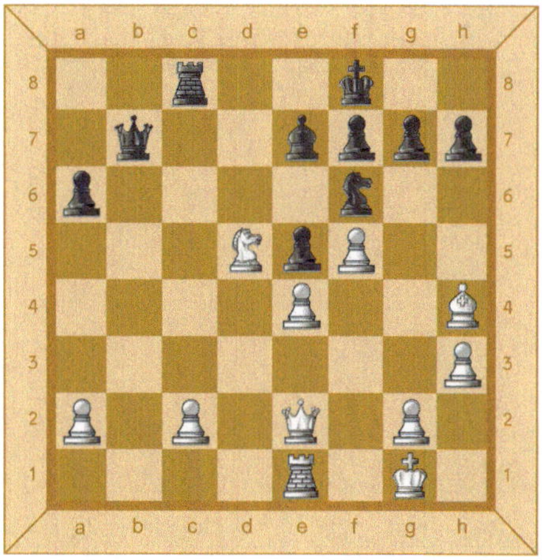

33. 白先

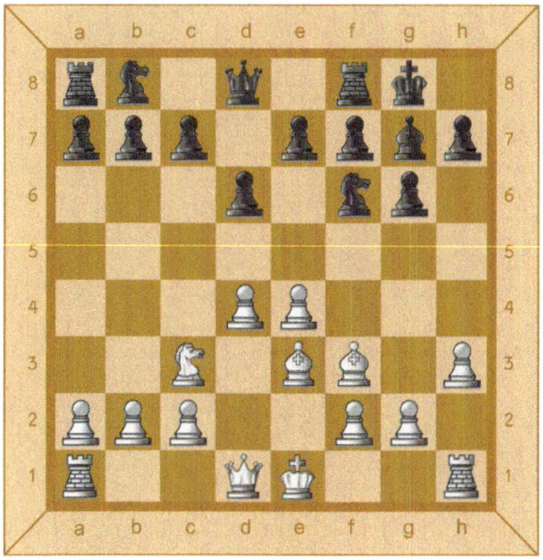

34. 白先

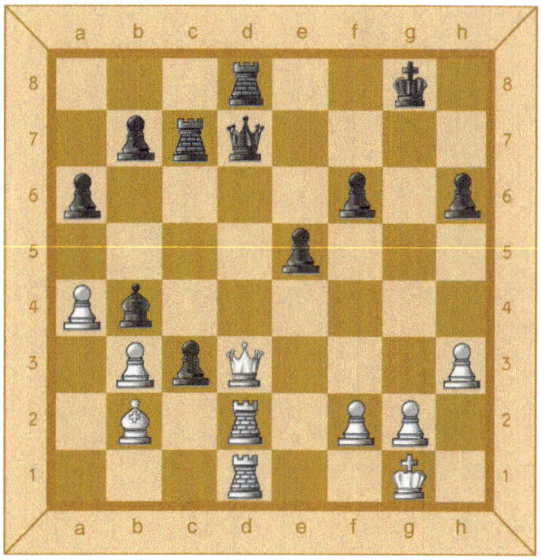

35. 黑先

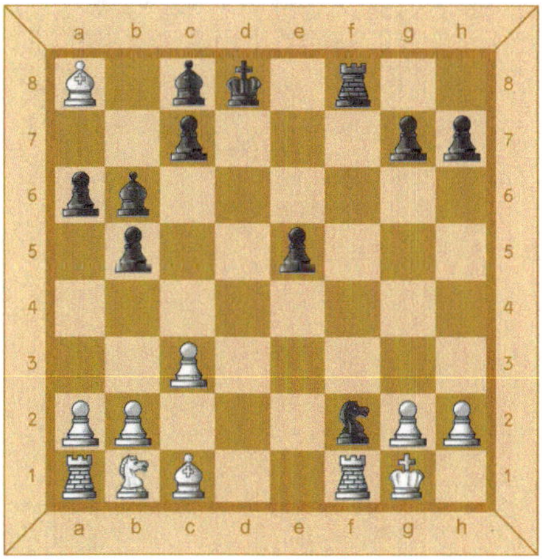

36. 黑先

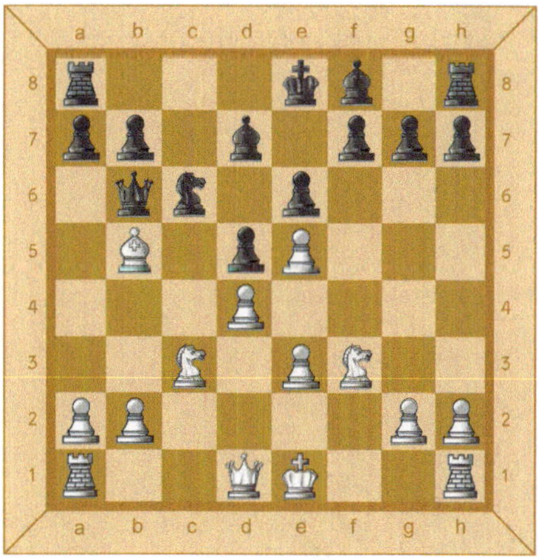

37. 白先

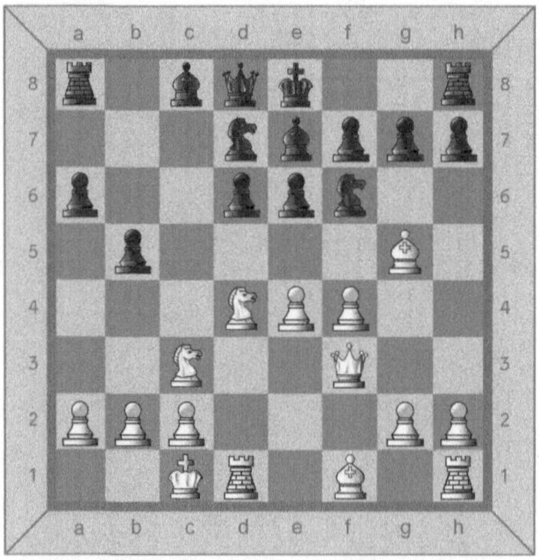

38. 黑先

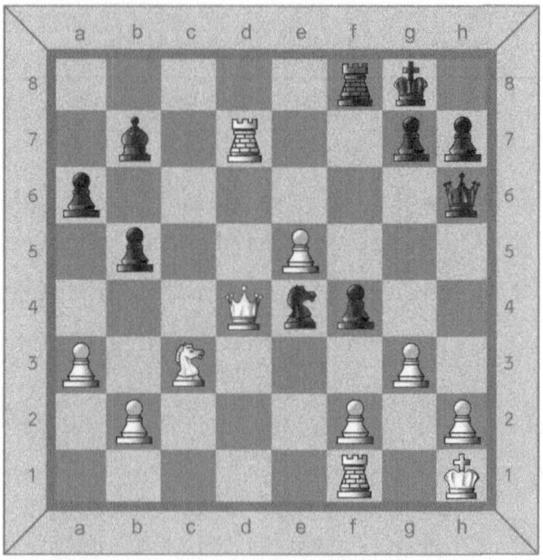

39. 白先

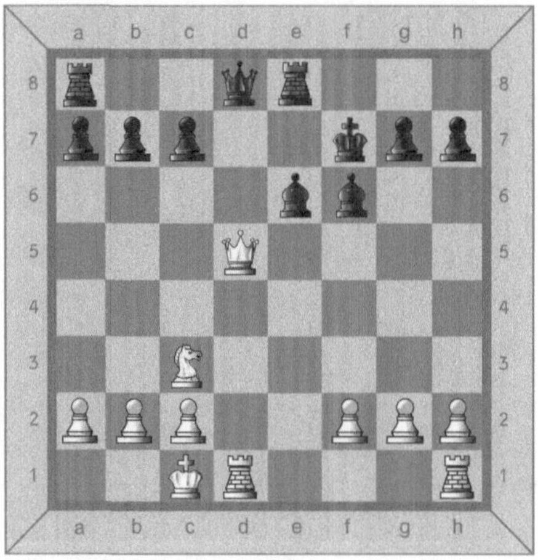

40. 白先

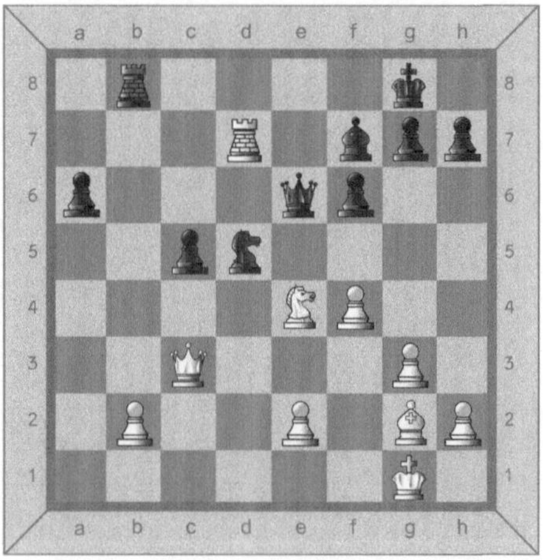

41. 白先

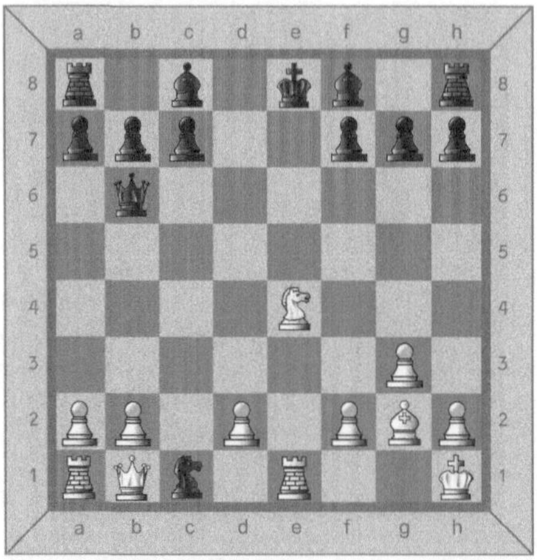

42. 白先

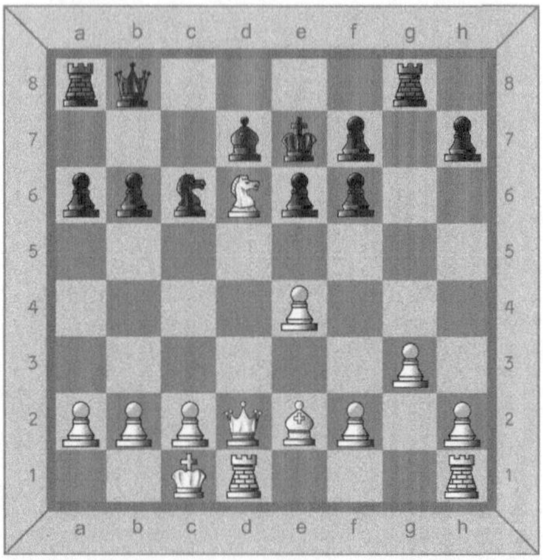

43. 黑先

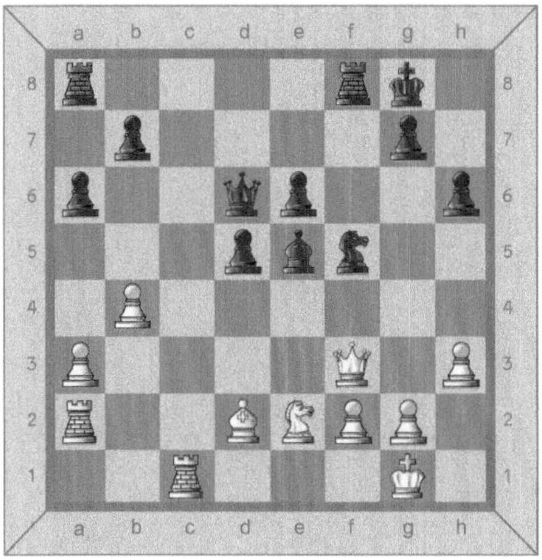

44. 白先

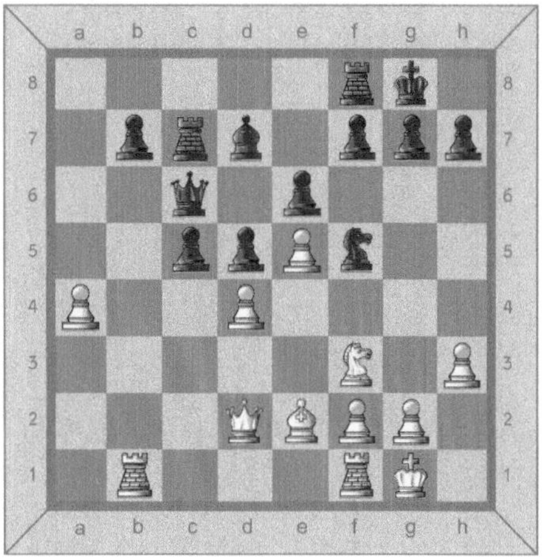

45. 黑先

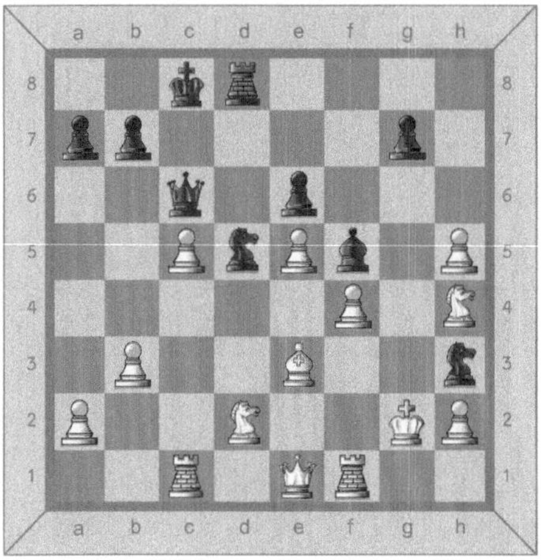

46. 黑先

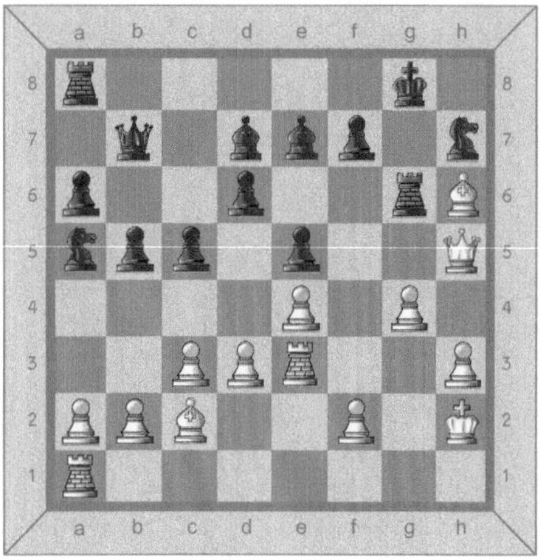

47. 白先

48. 黑先

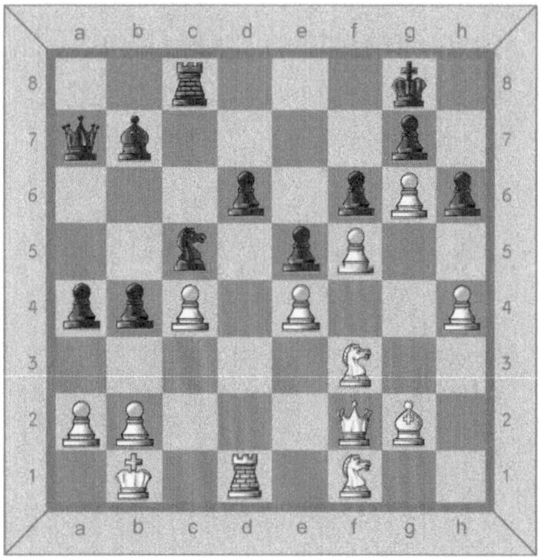

49. 白先

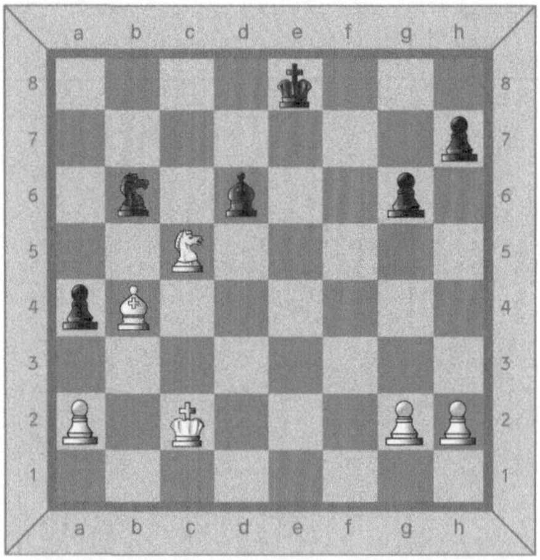

50. 黑先

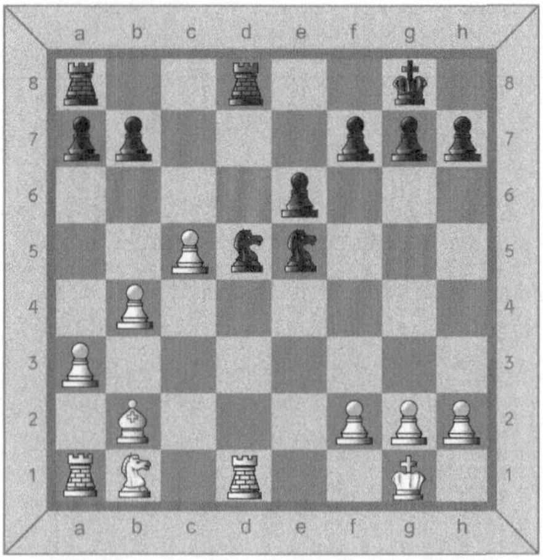

51. 黑先

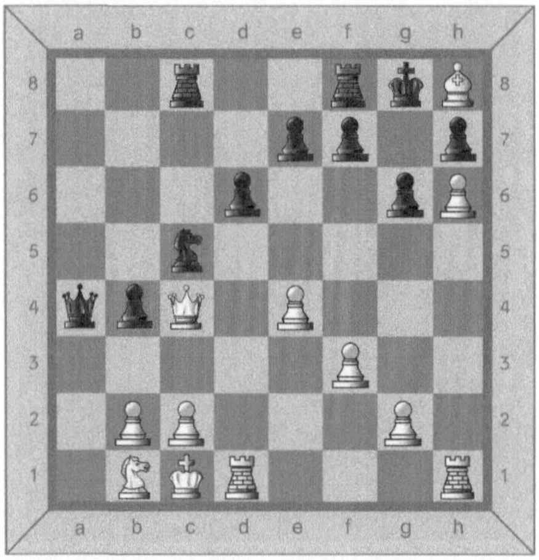

52. 黑先

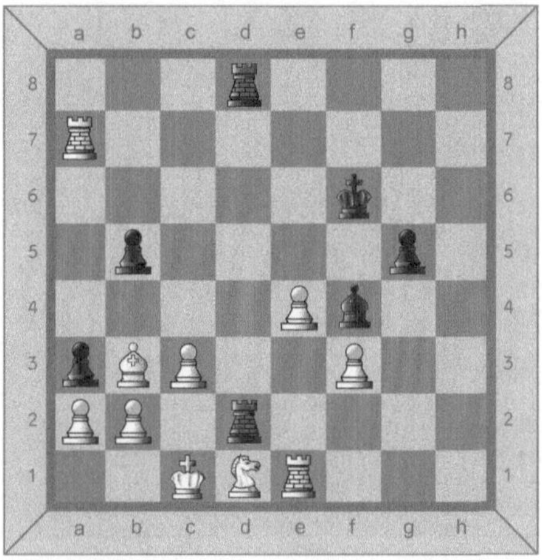

53. 白先

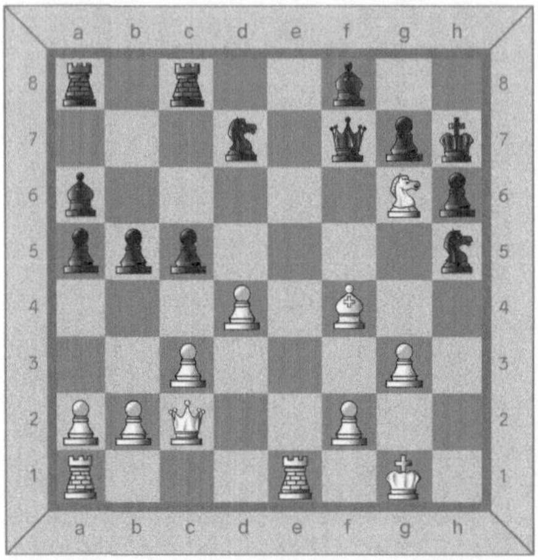

54. 白先

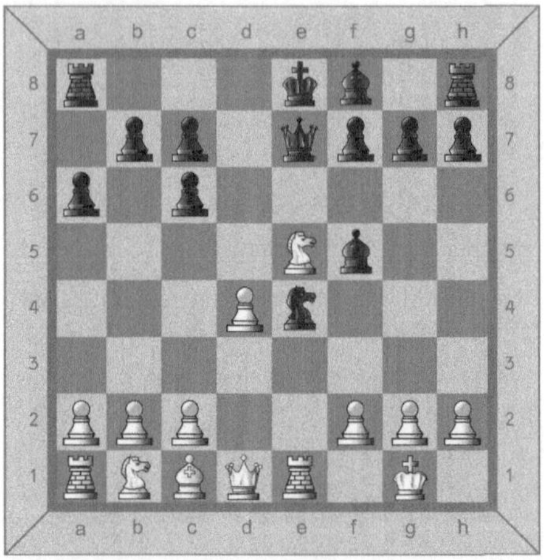

55. 白先

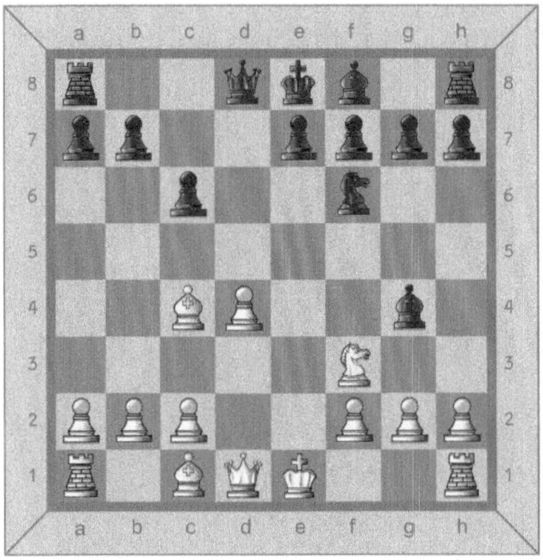

56. 黑先

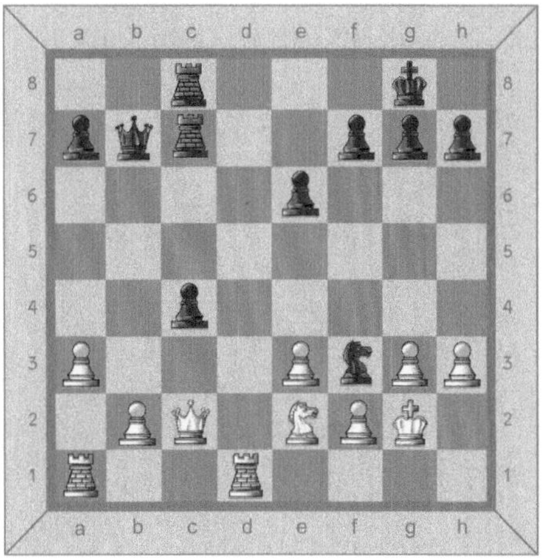

57. 白先

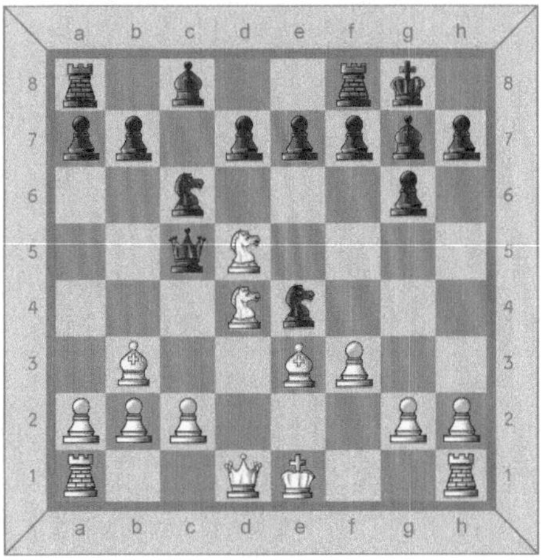

58. 黑先

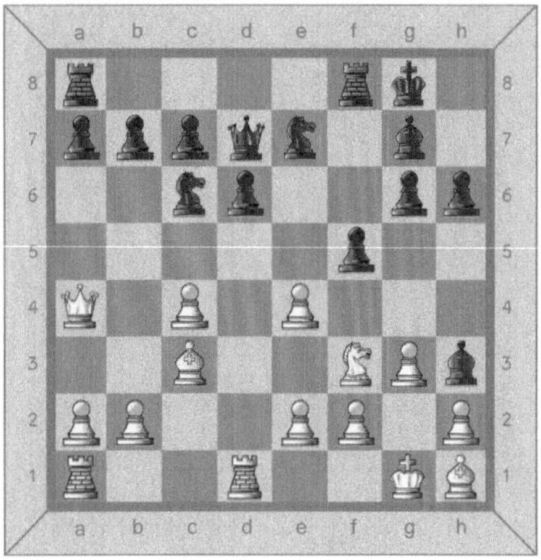

59. 白先

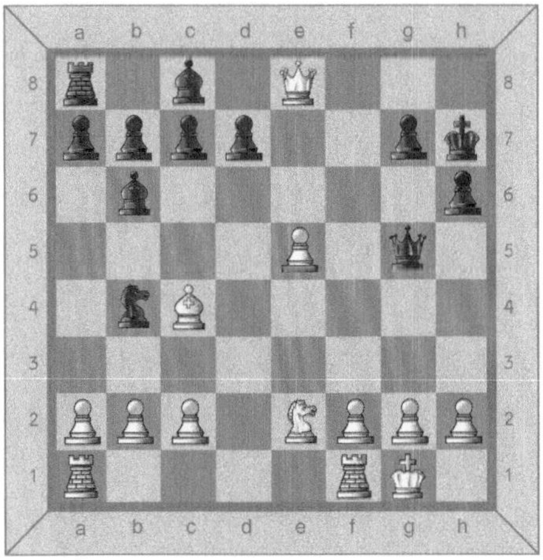

60. 白先

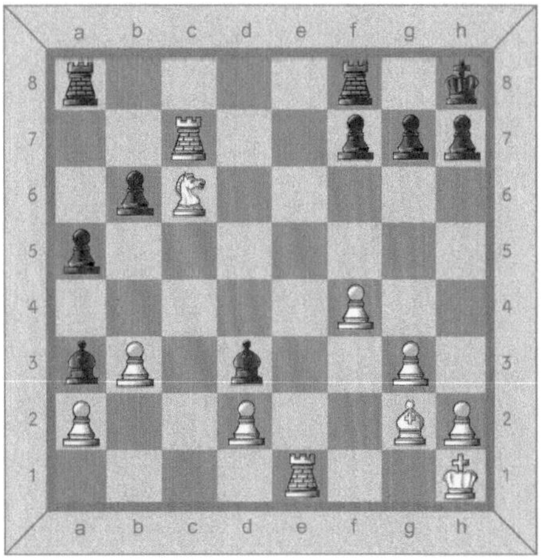

难度：★★

1. 白先

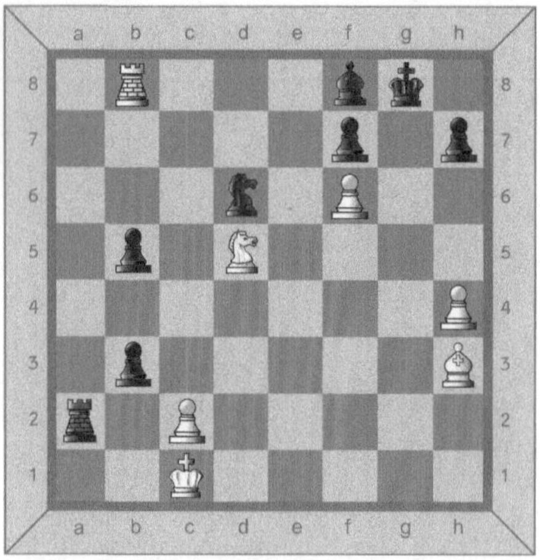

2. 白先

3. 黑先

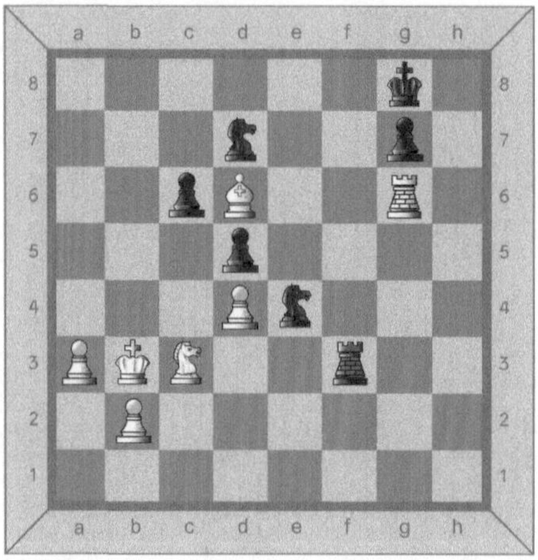

4. 黑先

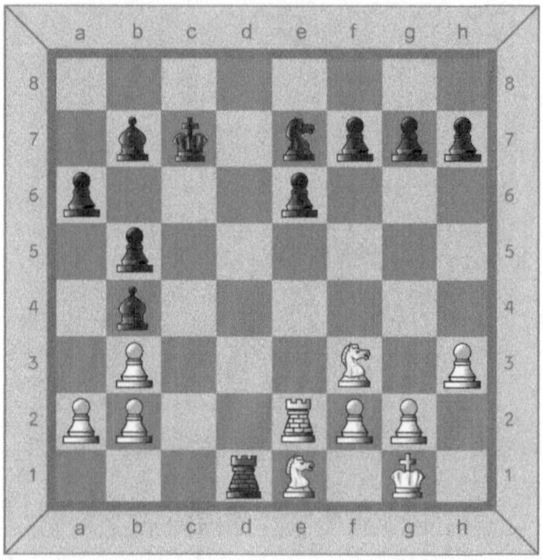

5. 黑先

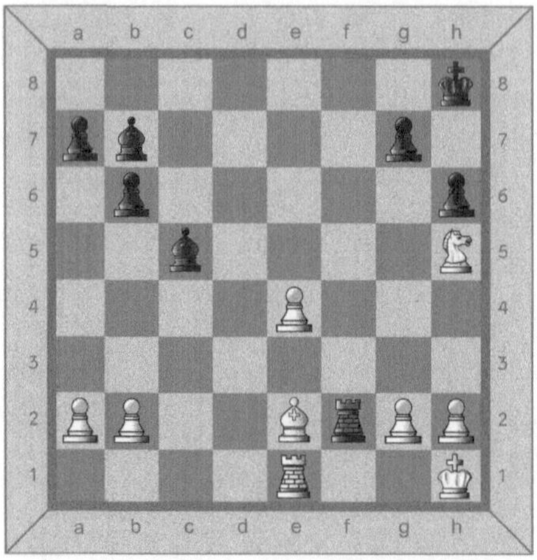

6. 白先

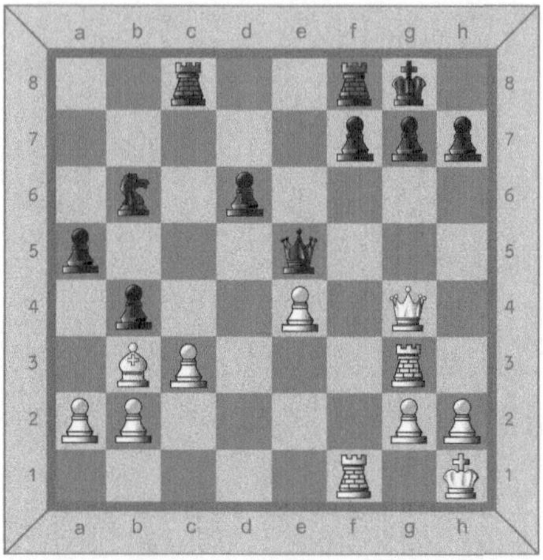

7. 黑先

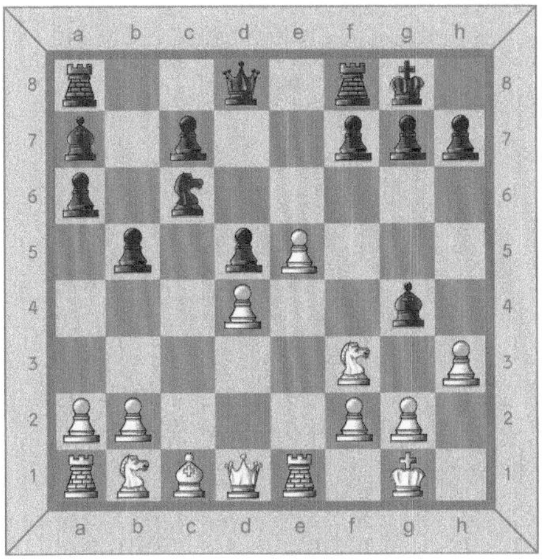

8. 白先

9. 白先

10. 白先

11. 黑先

12. 白先

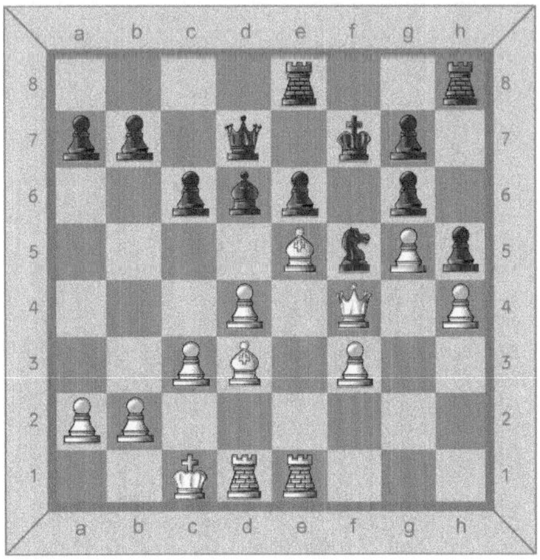

13. 白先

14. 黑先

15. 黑先

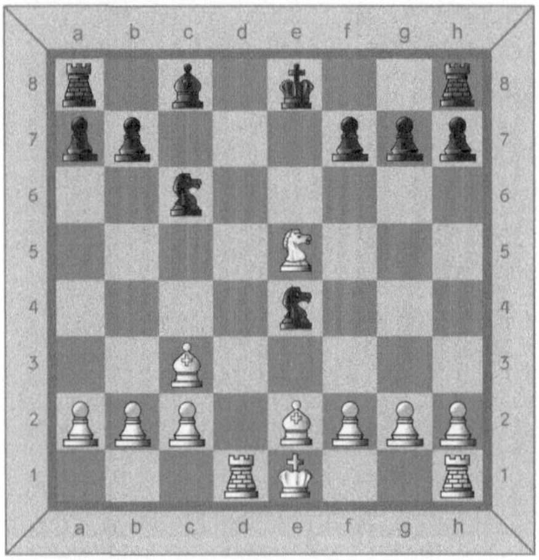

16. 白先

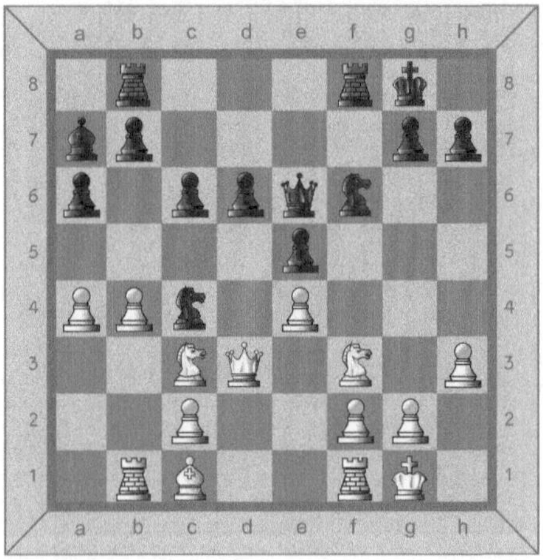

17. 黑先

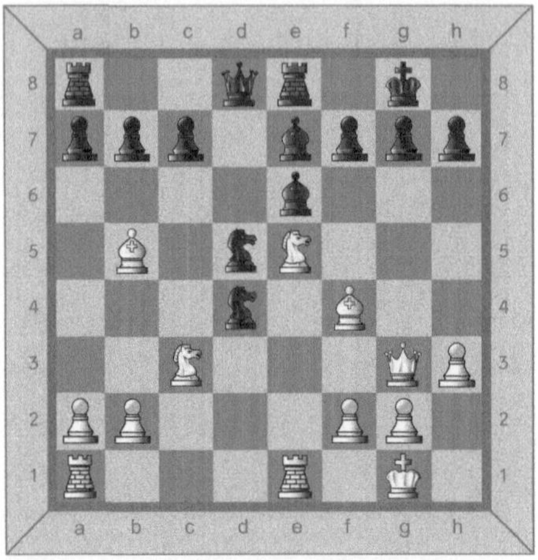

18. 白先

19. 黑先

20. 白先

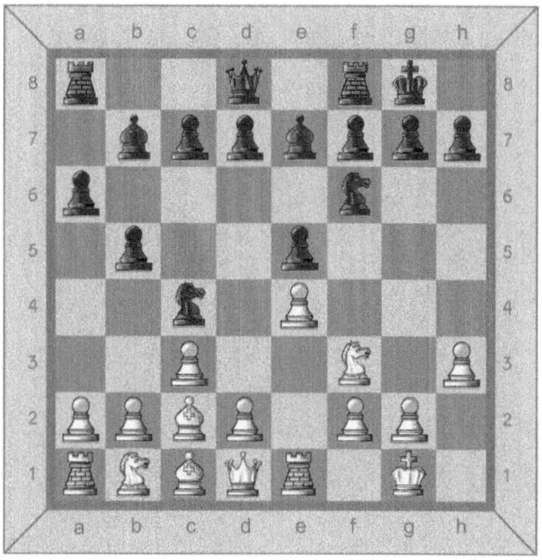

21. 白先

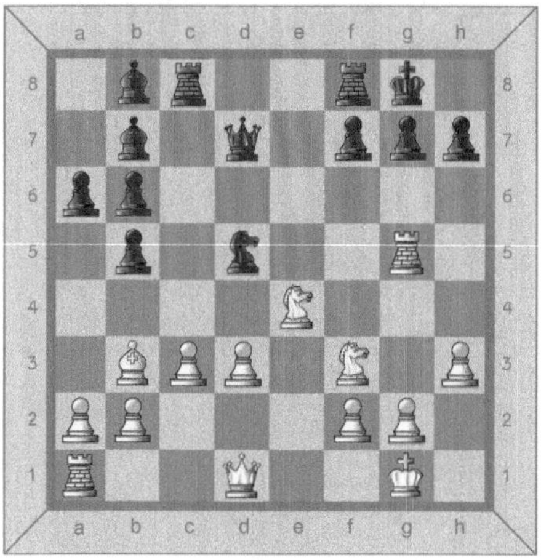

22. 白先

23. 黑先

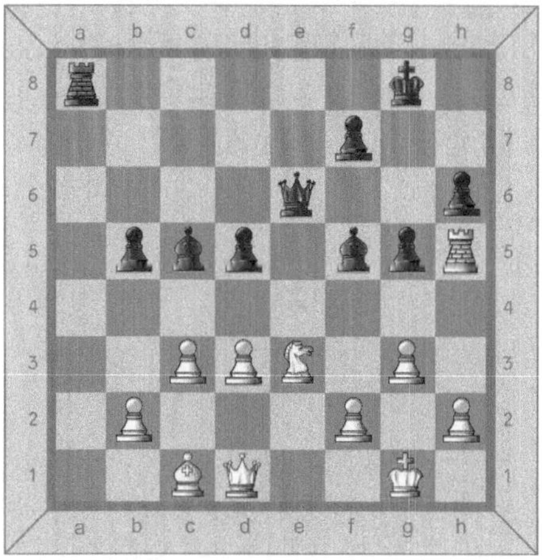

24. 白先

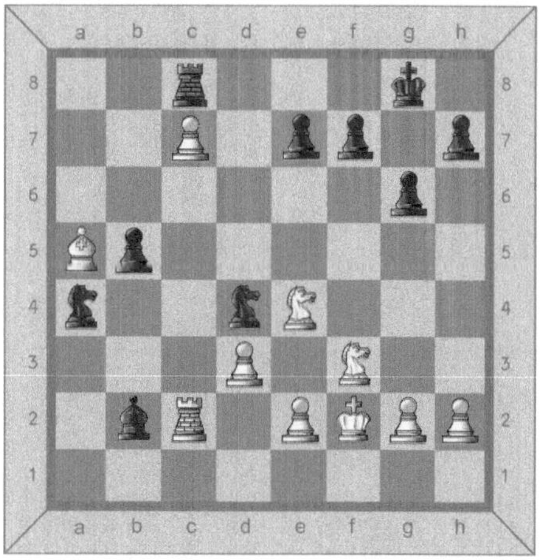

25. 黑先

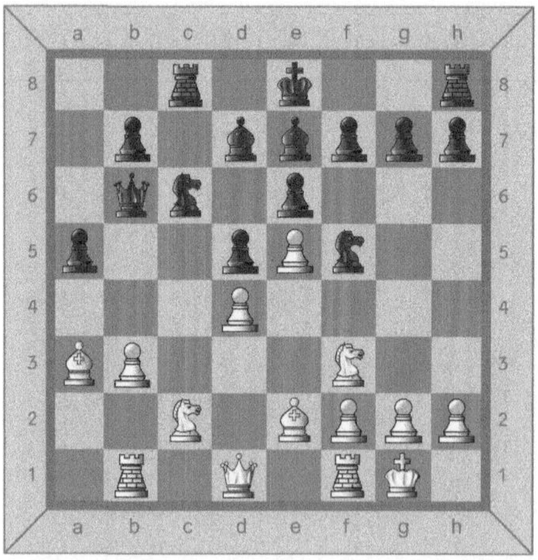

26. 白先

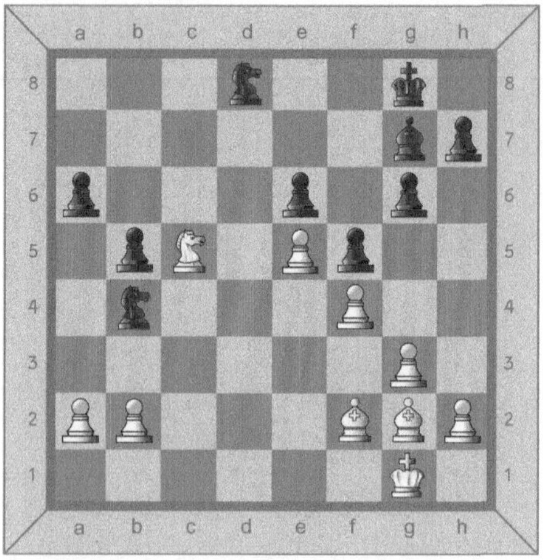

27. 白先

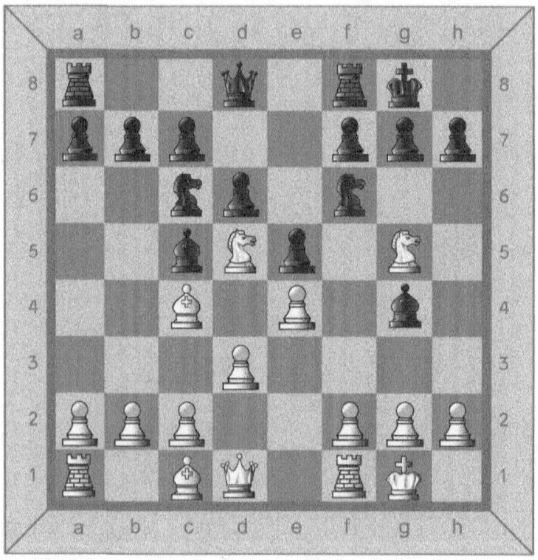

28. 白先

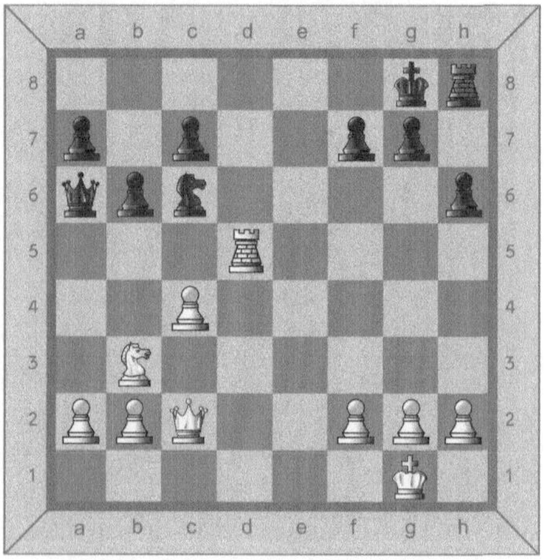

29. 白先

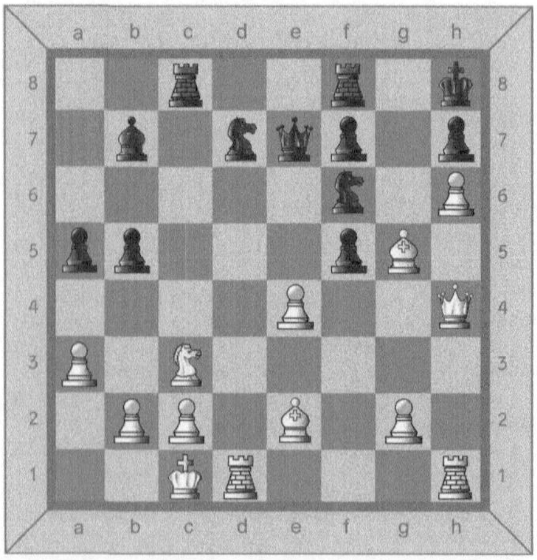

30. 黑先

31. 白先

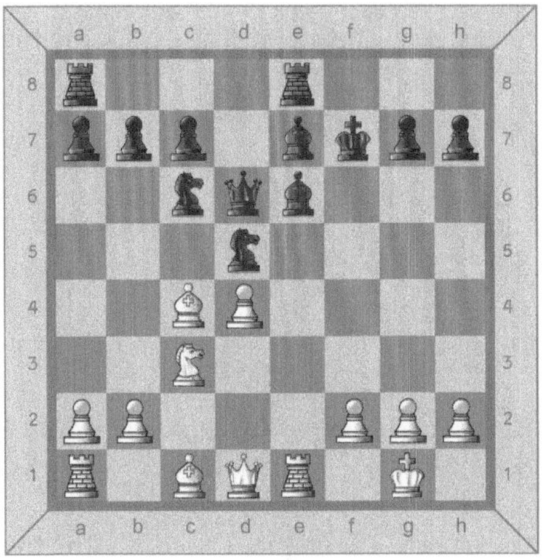

32. 白先

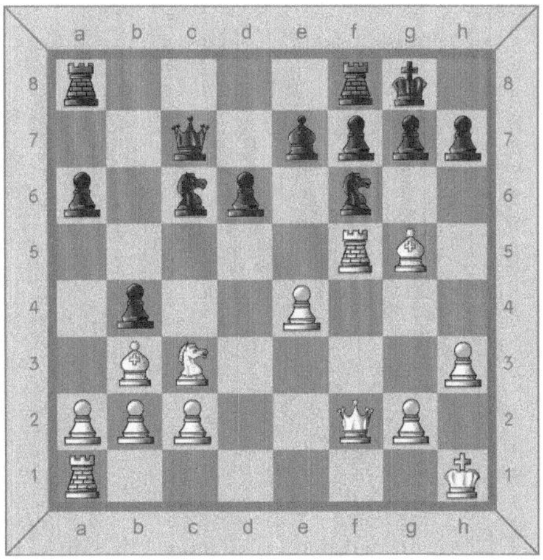

33. 白先

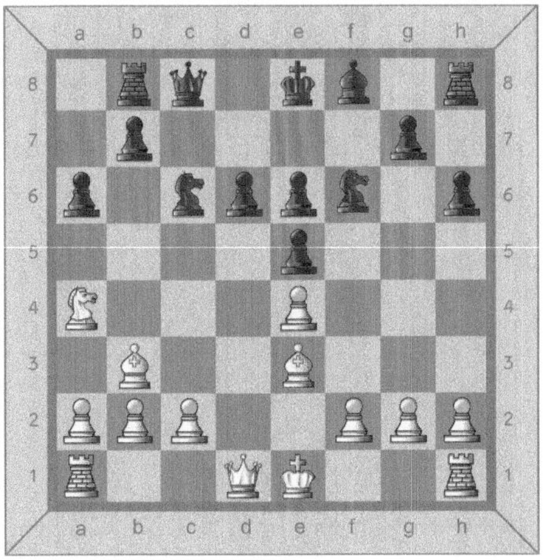

34. 黑先

35. 白先

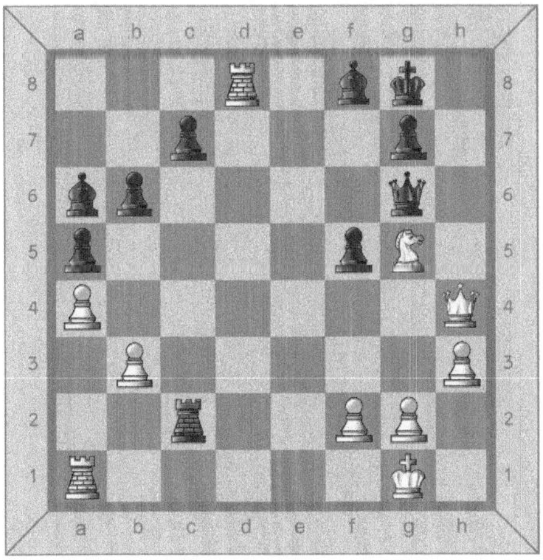

36. 白先

难度：★★★

37. 黑先

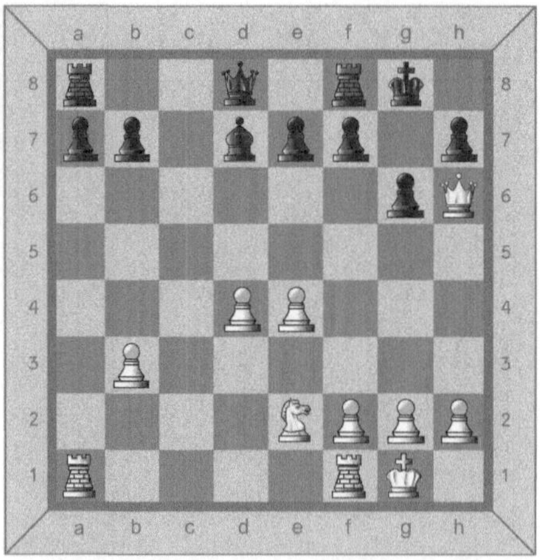

38. 白先

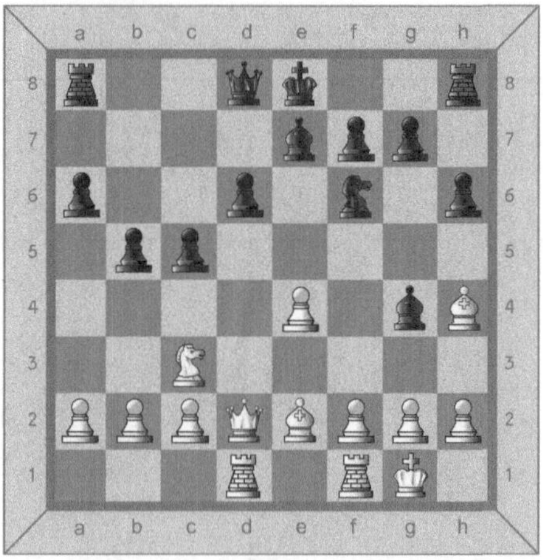

39. 黑先

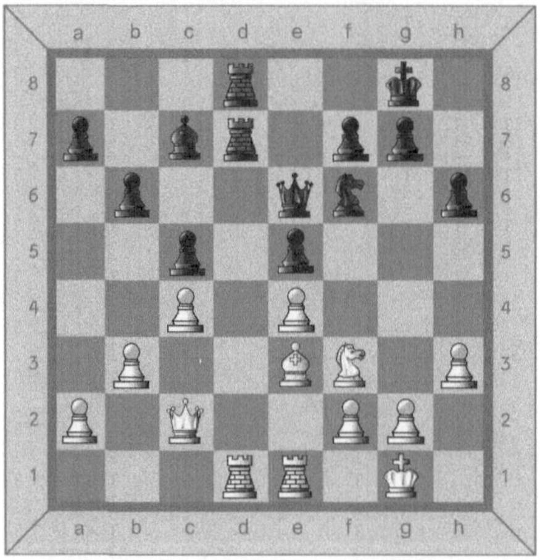

40. 黑先

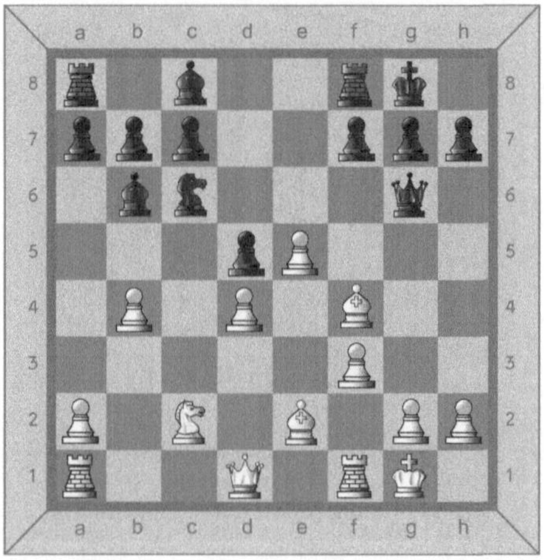

41. 黑先

42. 黑先

43. 黑先

44. 白先

45. 黑先

46. 白先

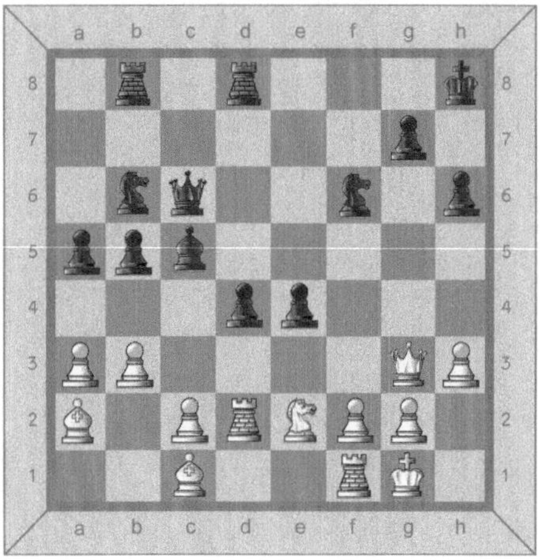

47. 黑先

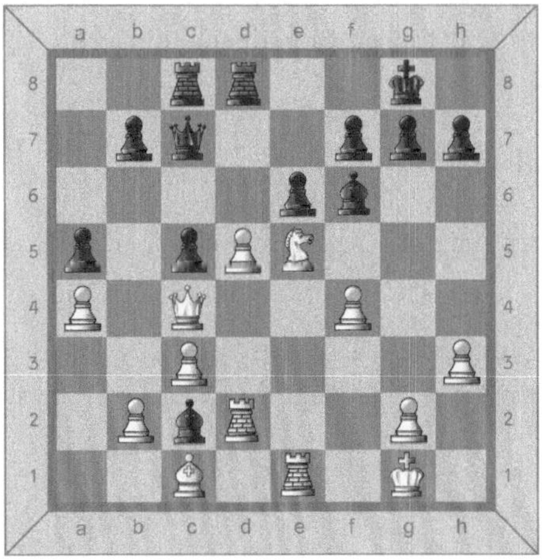

48. 白先

49. 白先

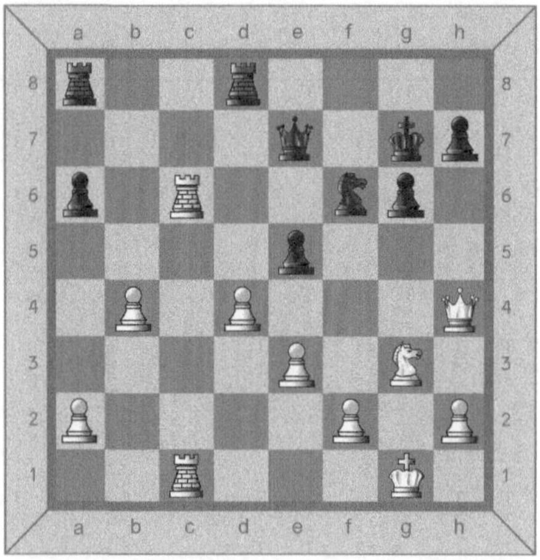

50. 白先

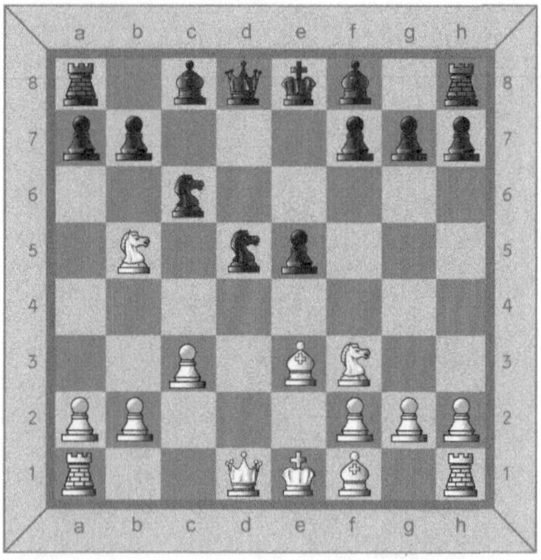

51. 白先

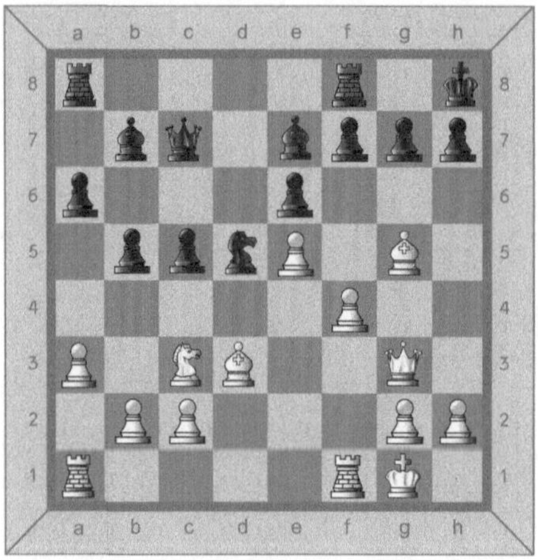

52. 白先

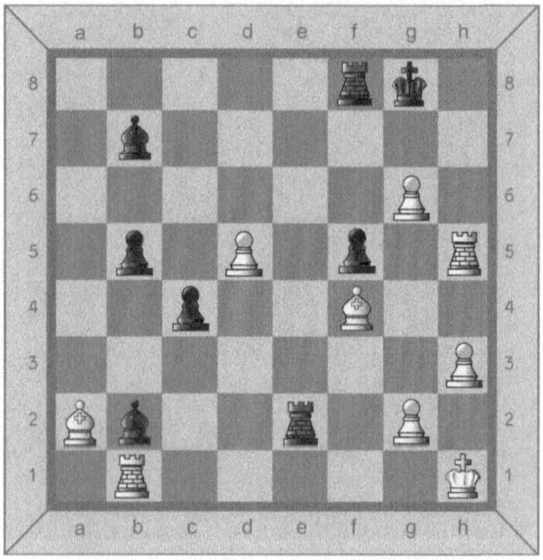

53. 黑先

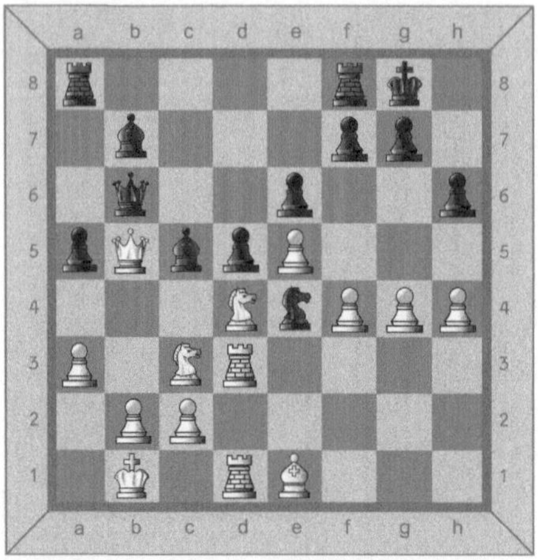

54. 黑先

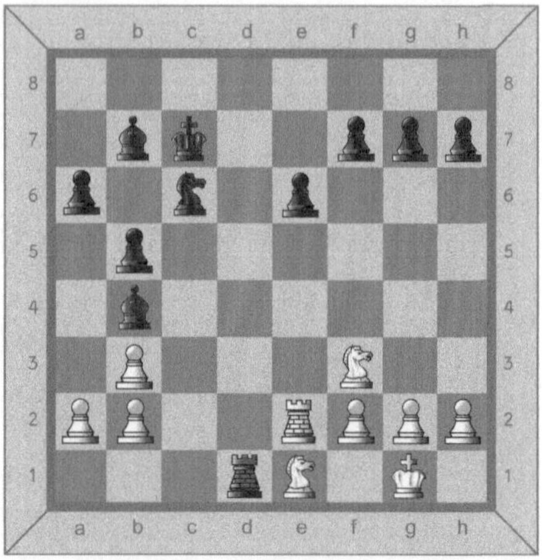

55. 黑先

56. 白先

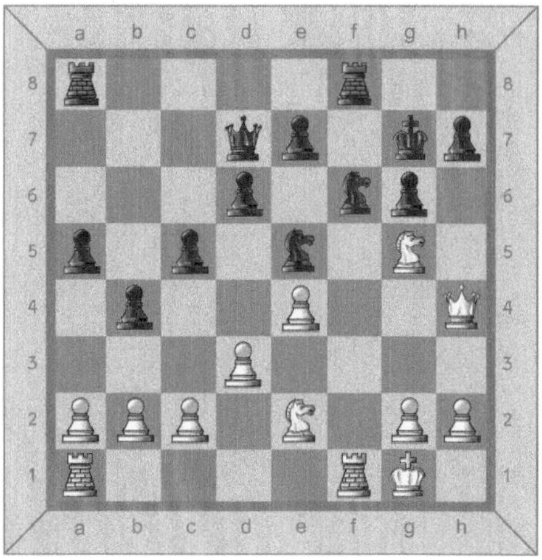

57. 黑先

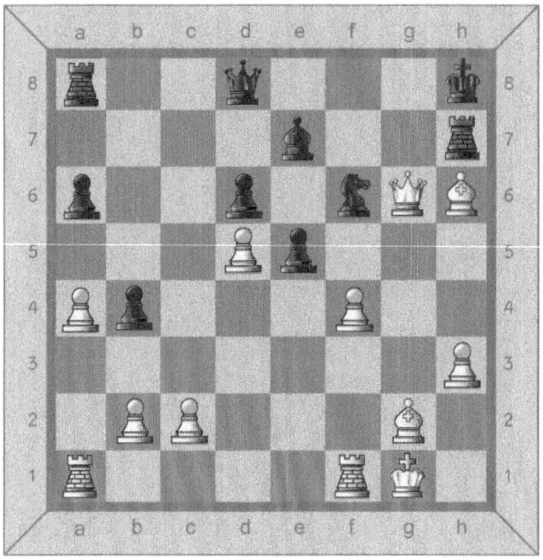

58. 白先

59. 白先

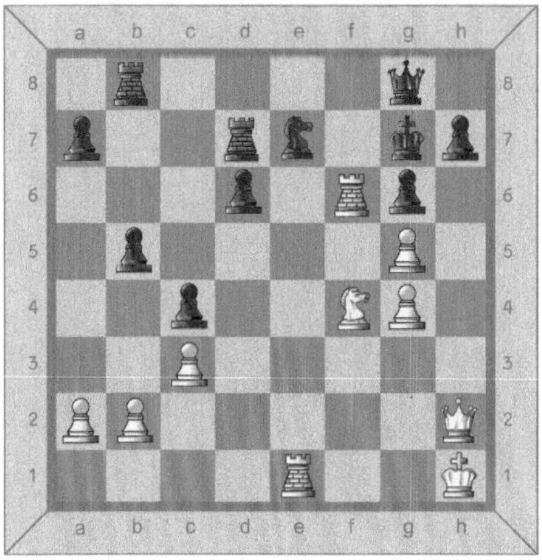

60. 黑先

难度：★★

1. 黑先

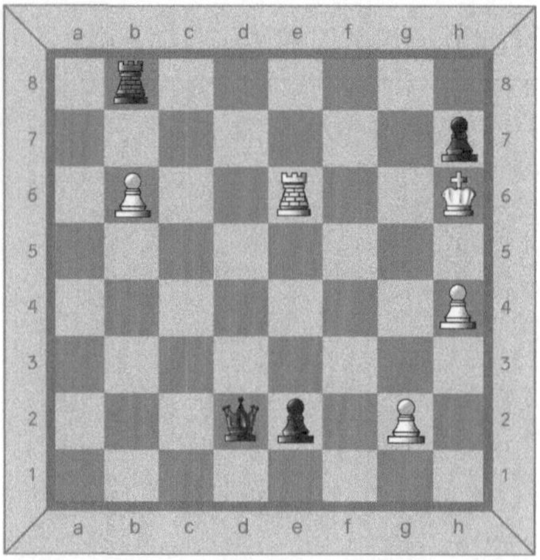

2. 黑先

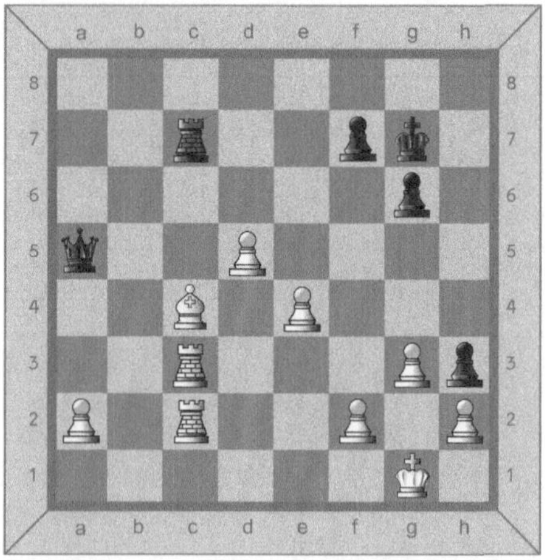

3. 白先

4. 白先

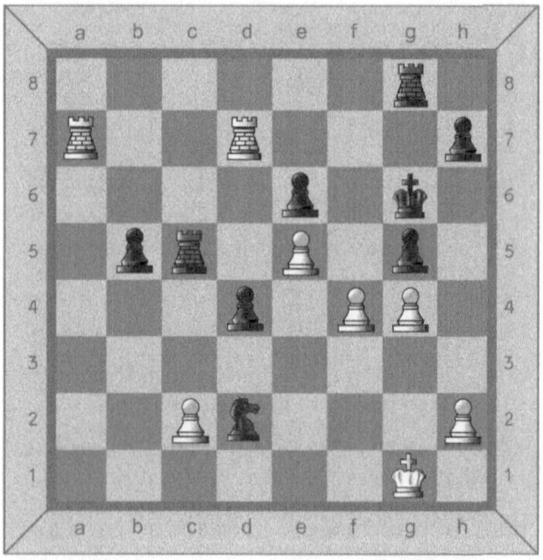

5. 白先

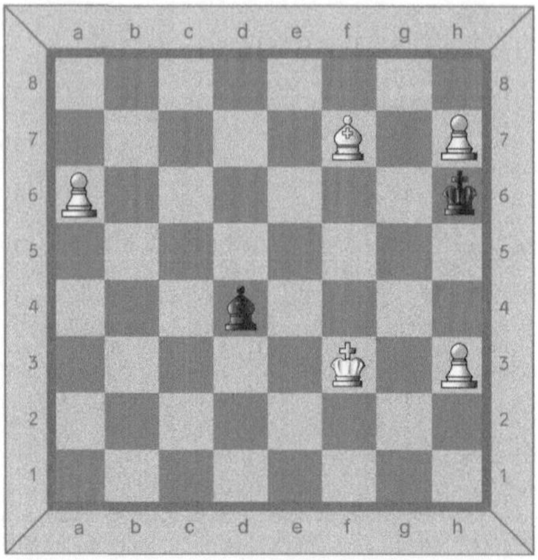

6. 白先

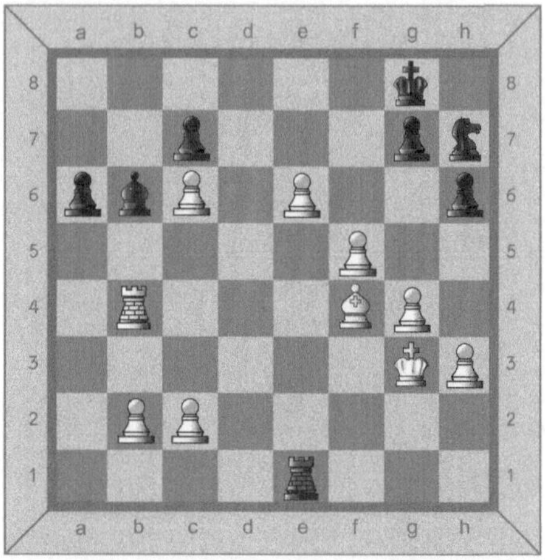

7. 白先

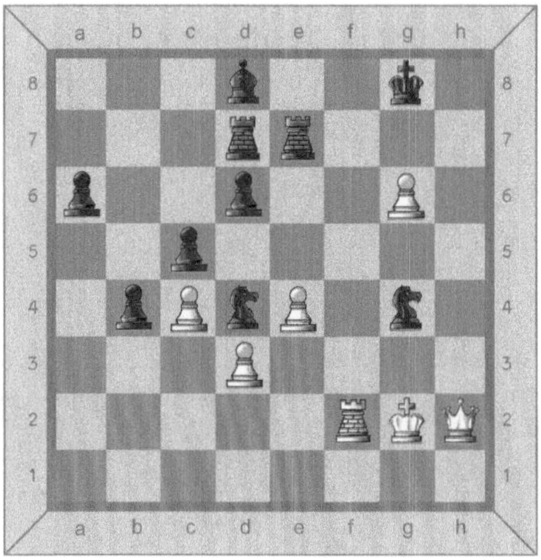

8. 白先

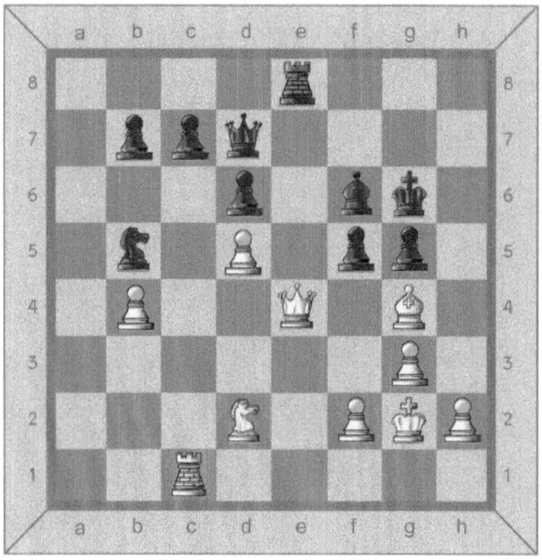

9. 黑先

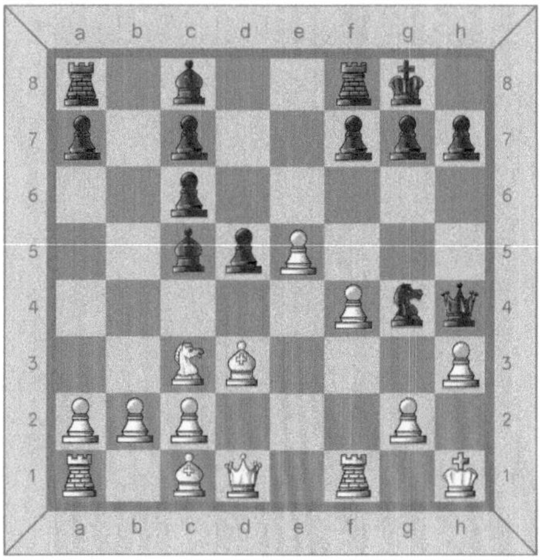

10. 白先

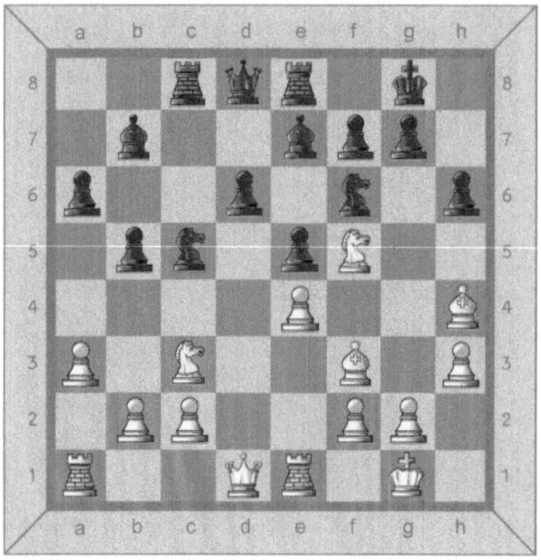

11. 黑先

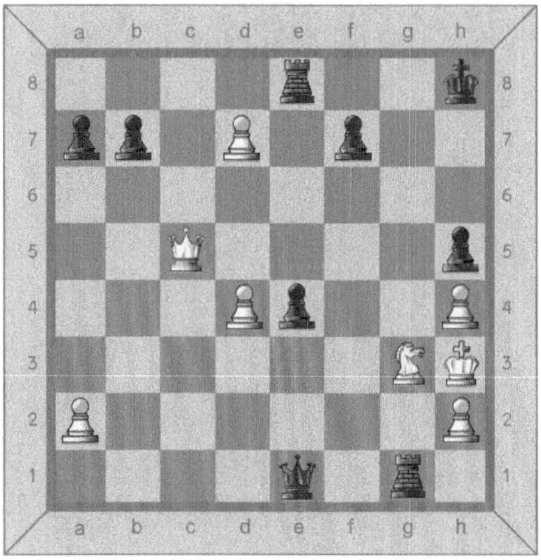

12. 白先

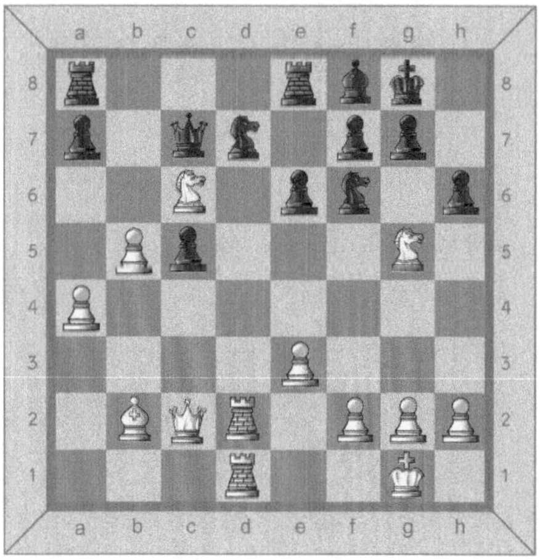

13. 白先

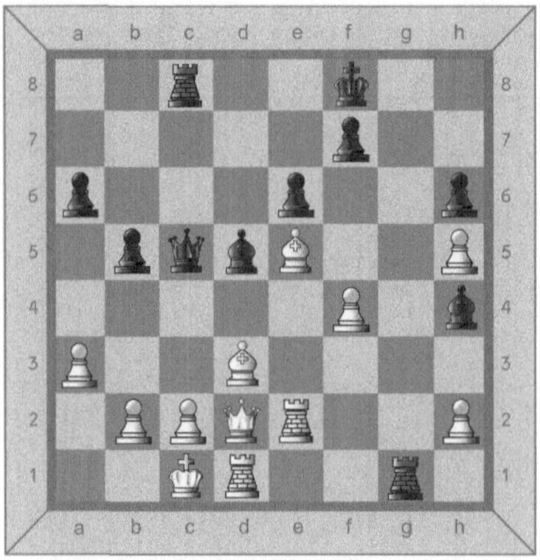

14. 白先

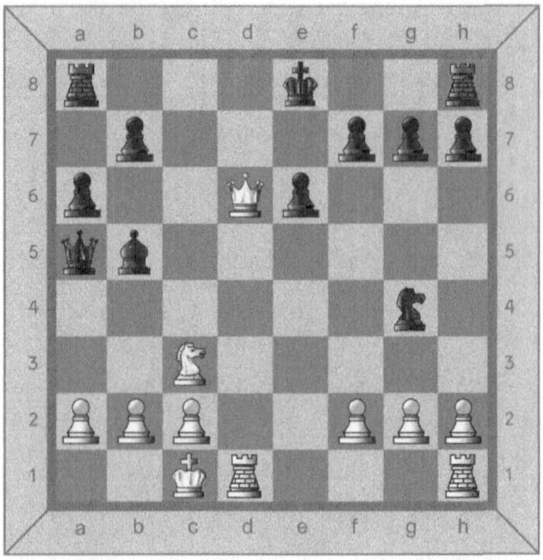

15. 黑先

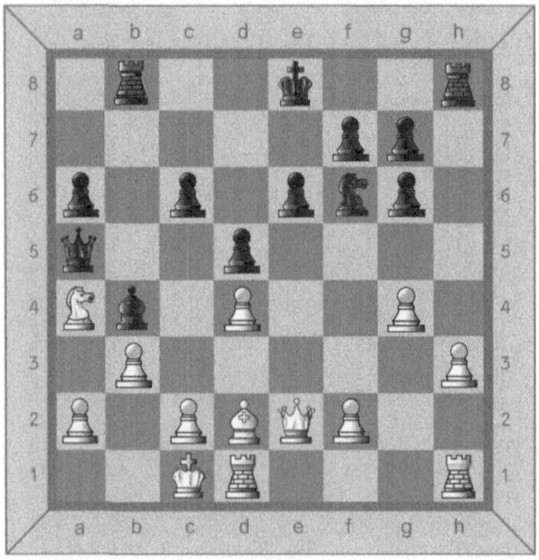

16. 白先

17. 黑先

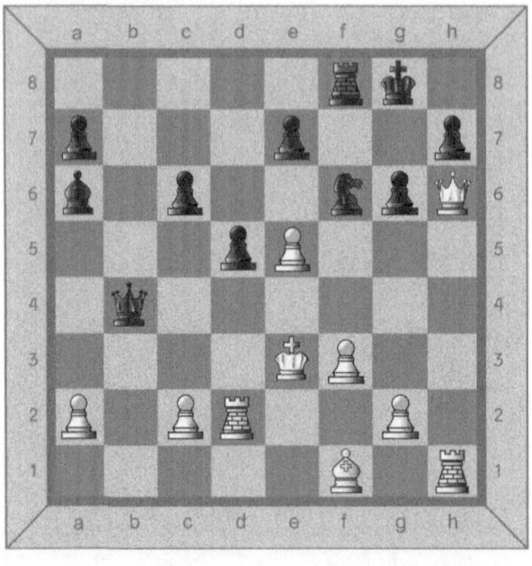

18. 白先

19. 白先

20. 黑先

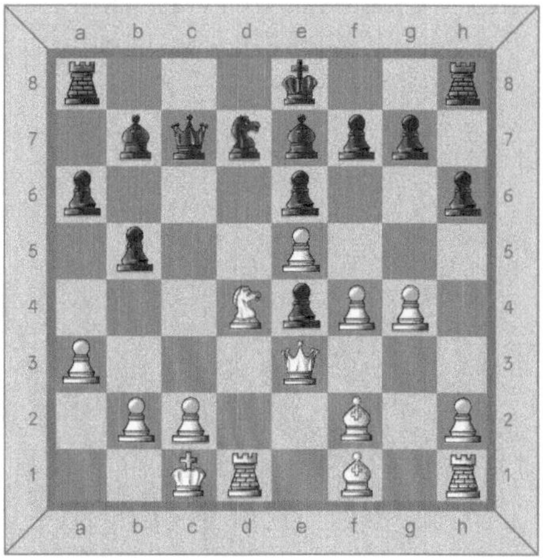

21. 黑先

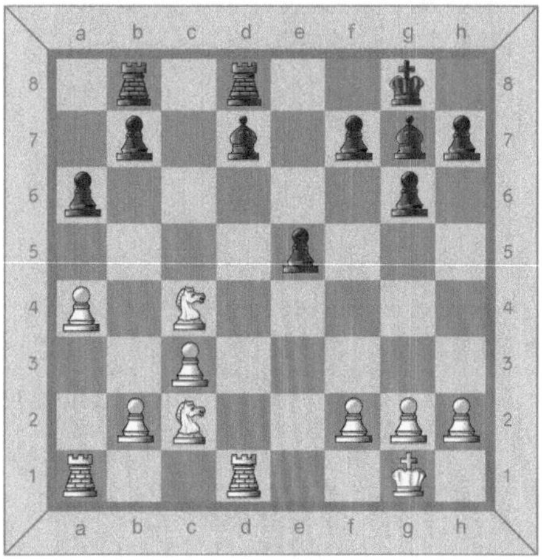

22. 黑先

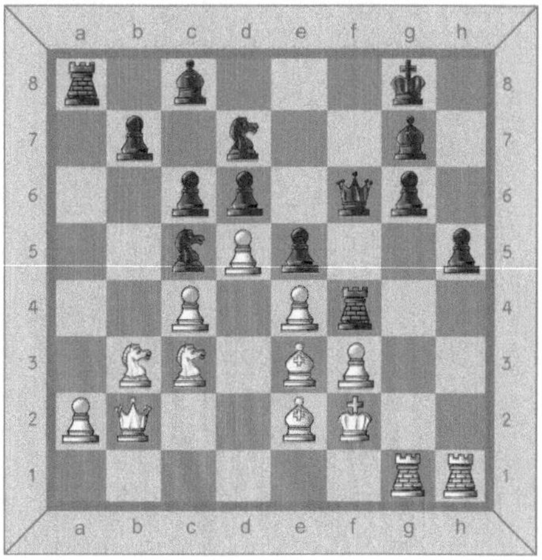

23. 白先

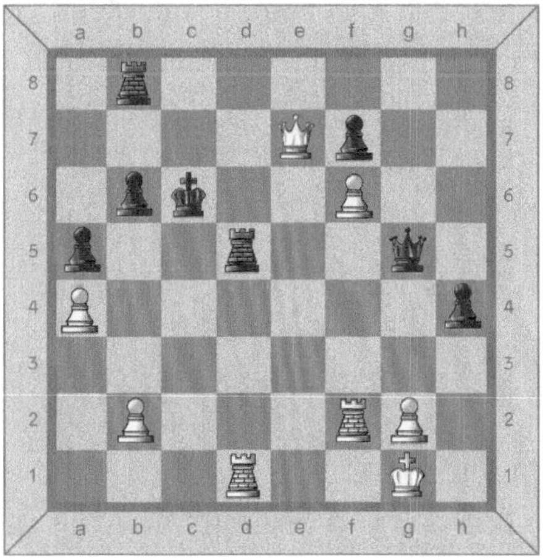

24. 白先

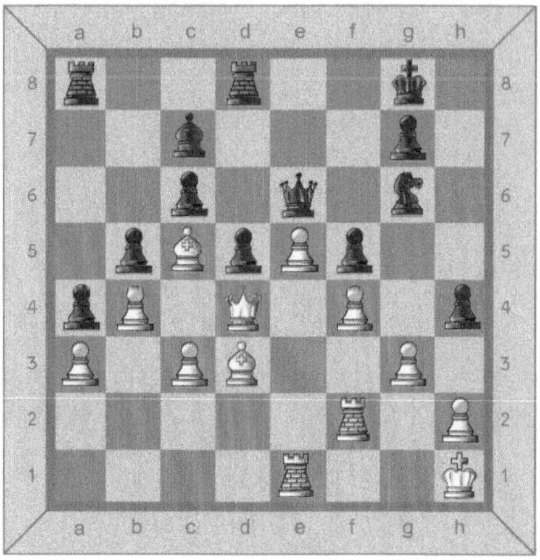

难度：★★★

25. 白先

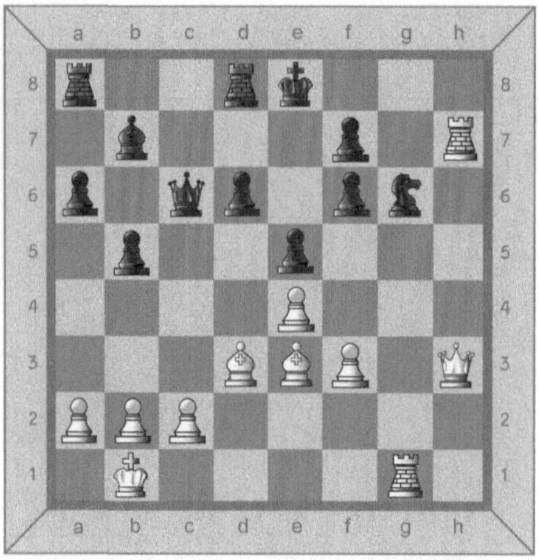

26. 黑先

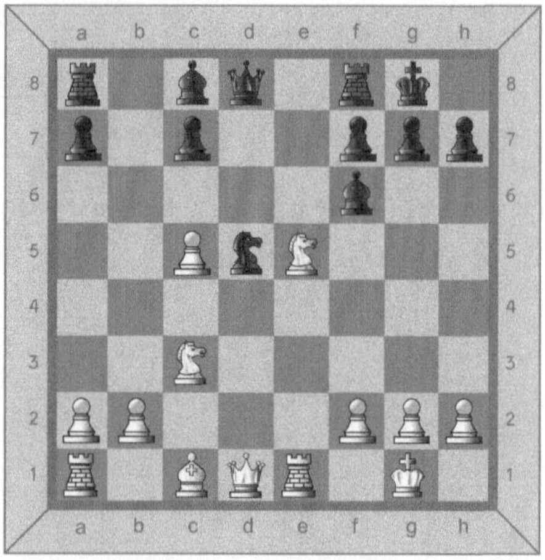

27. 白先

28. 黑先

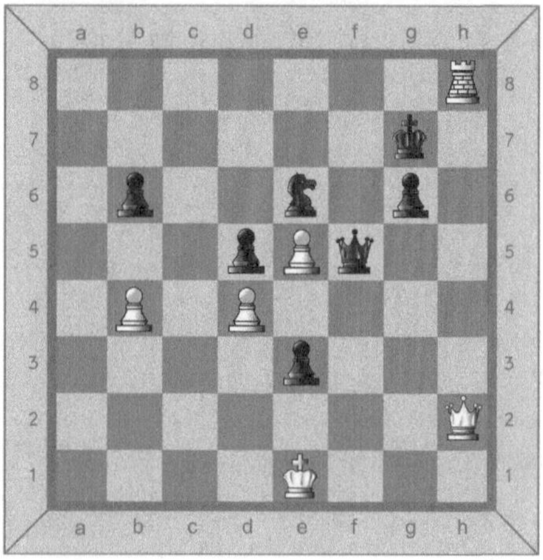

29. 白先

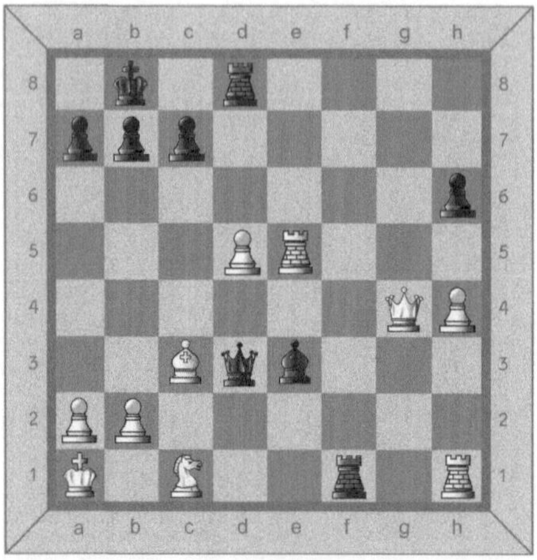

30. 黑先

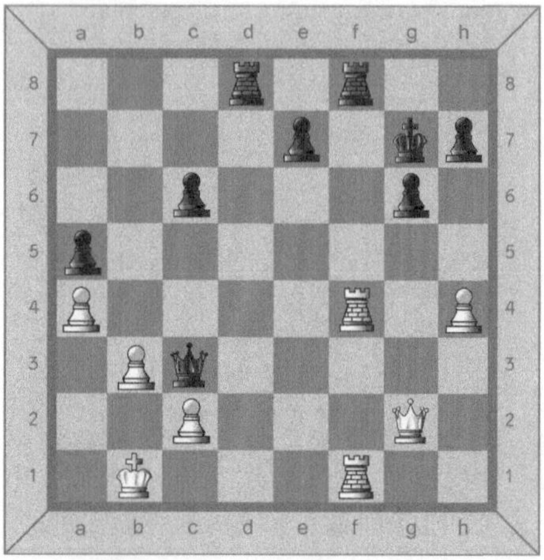

难度：★★

1. 白先

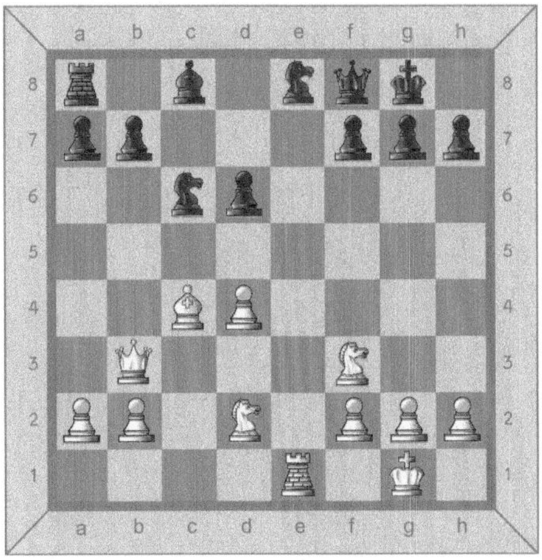

2. 白先

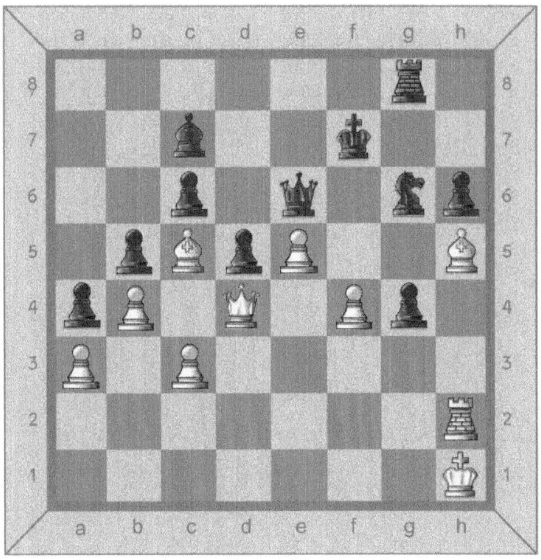

3. 白先

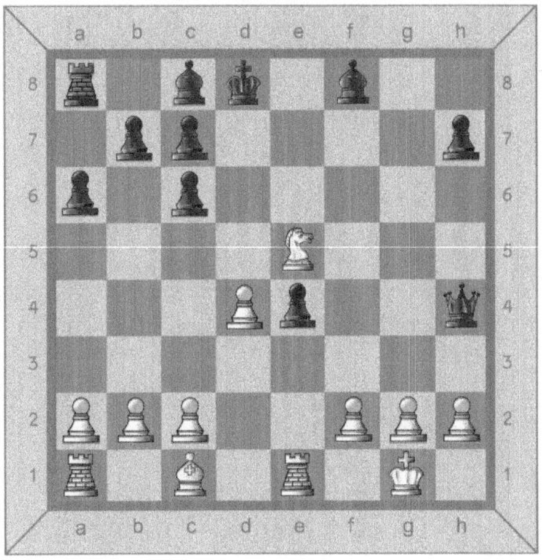

4. 黑先

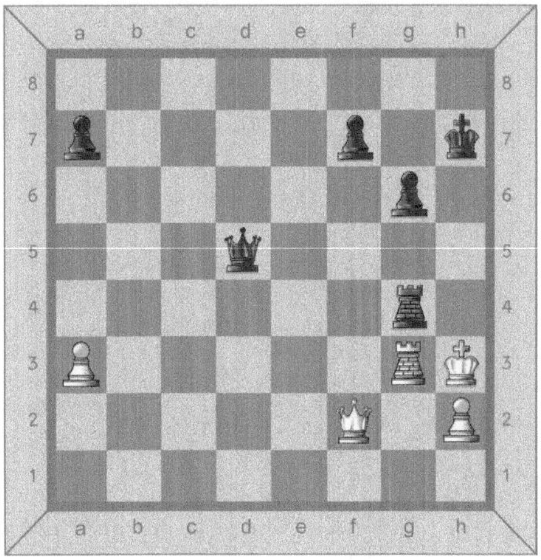

5. 白先

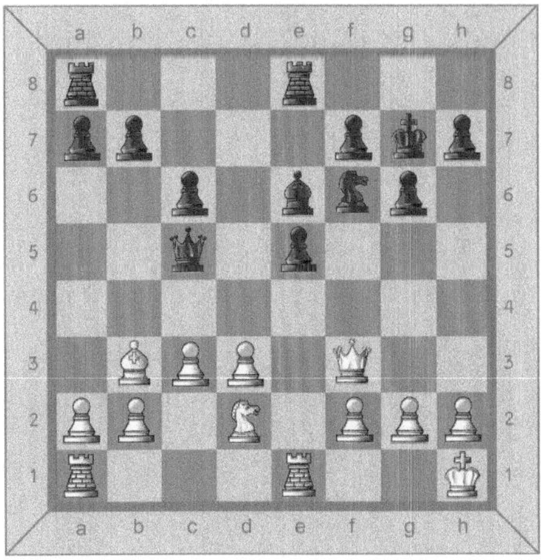

6. 白先

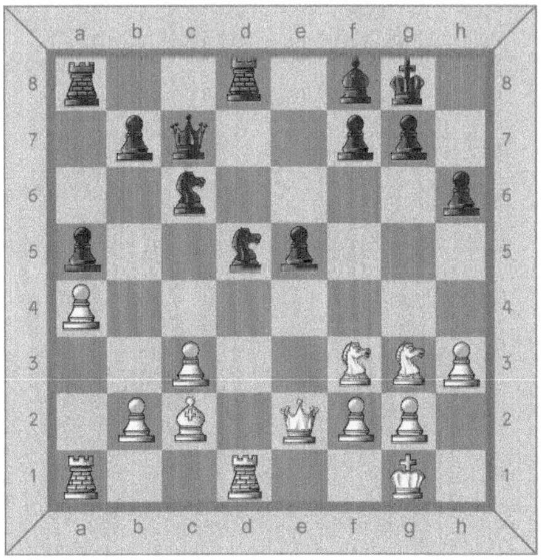

7. 黑先

8. 白先

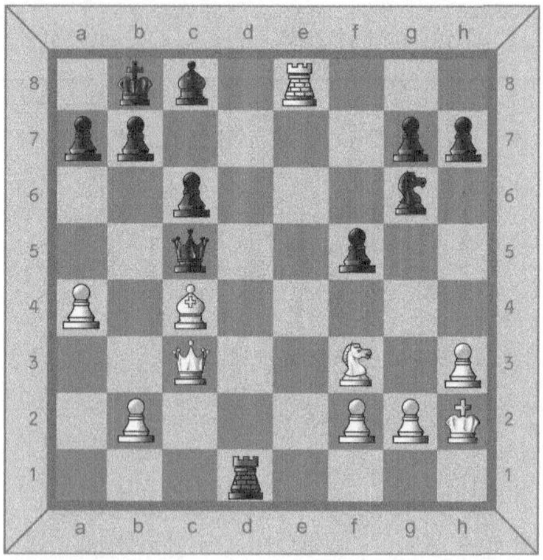

9. 黑先

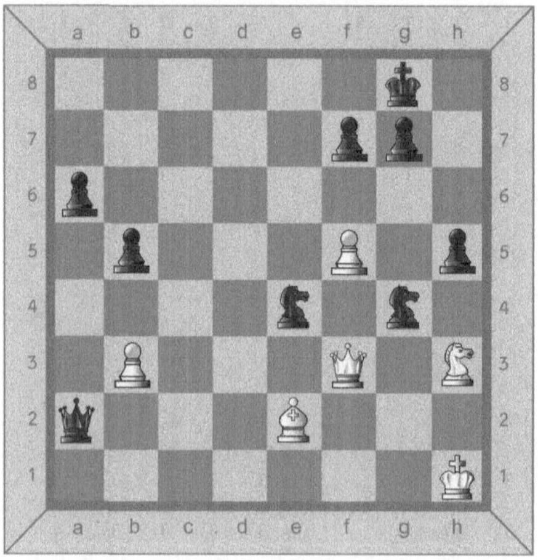

10. 白先

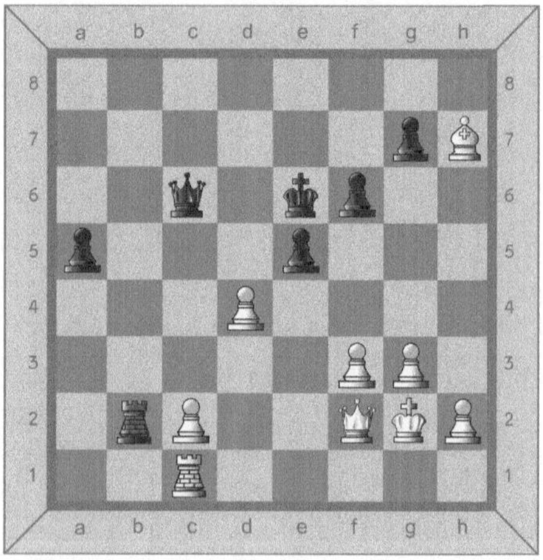

11. 黑先

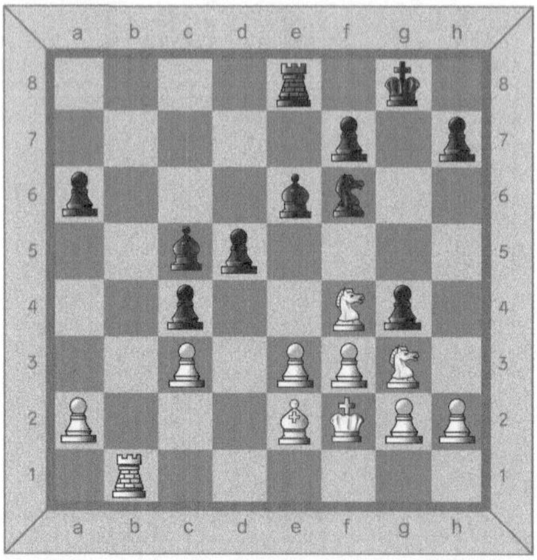

12. 白先

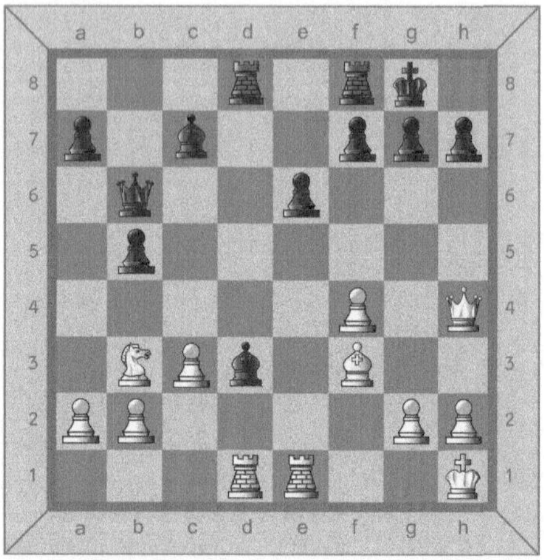

13. 白先

14. 白先

15. 白先

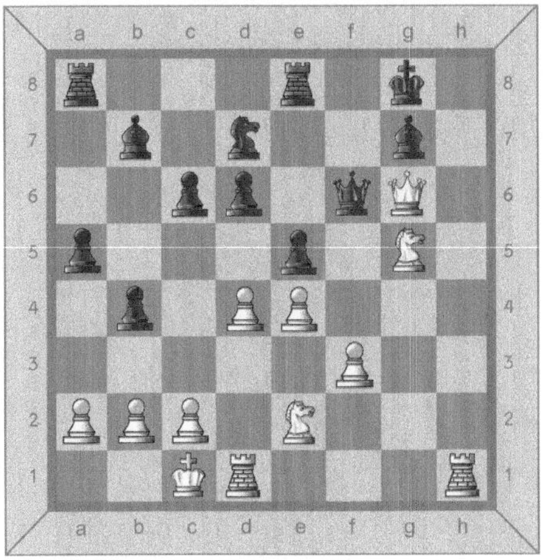

16. 黑先

17. 白先

18. 黑先

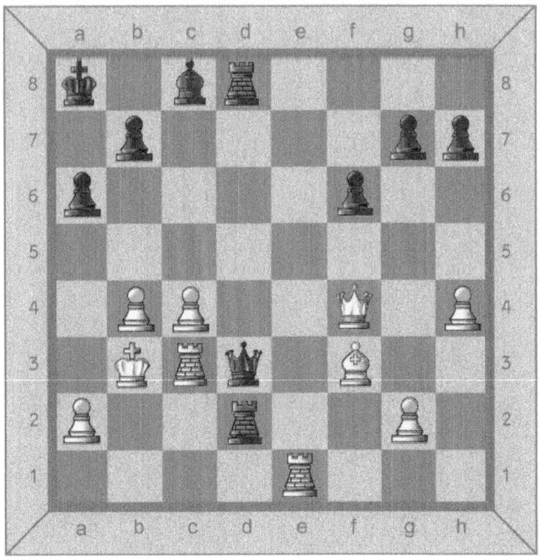

19. 白先

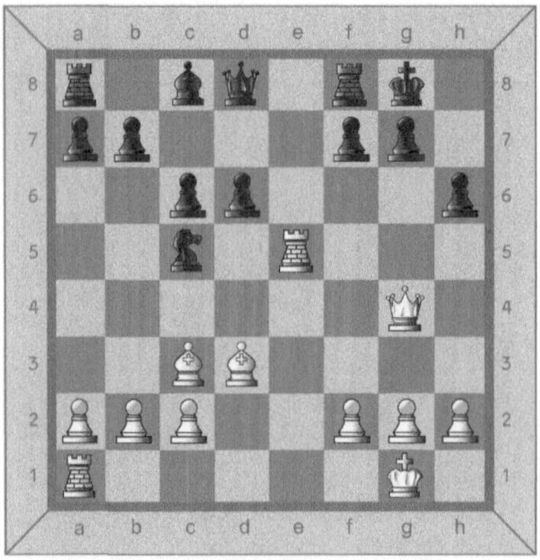

20. 白先

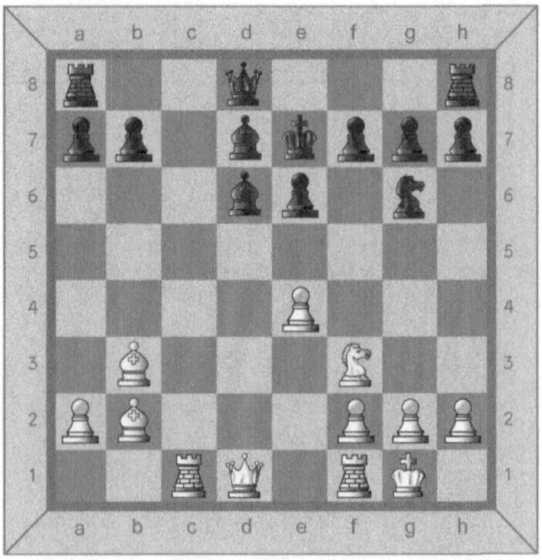

21. 黑先

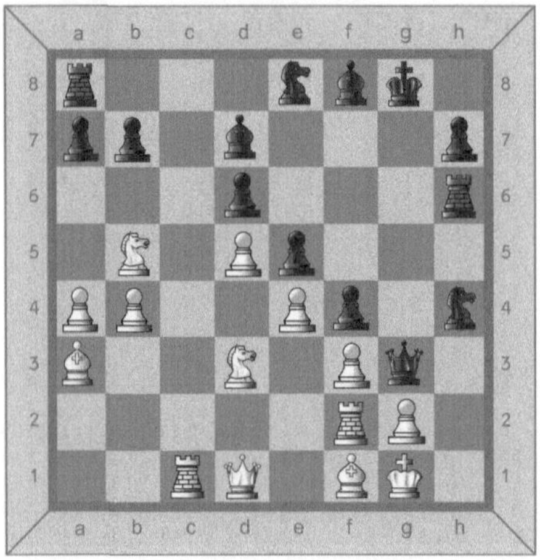

22. 黑先

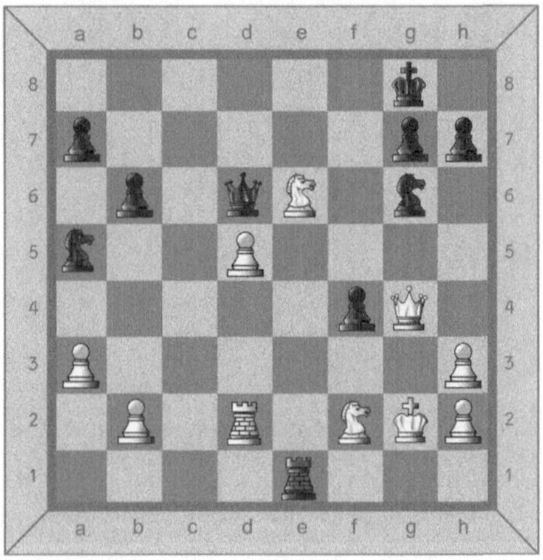

23. 白先

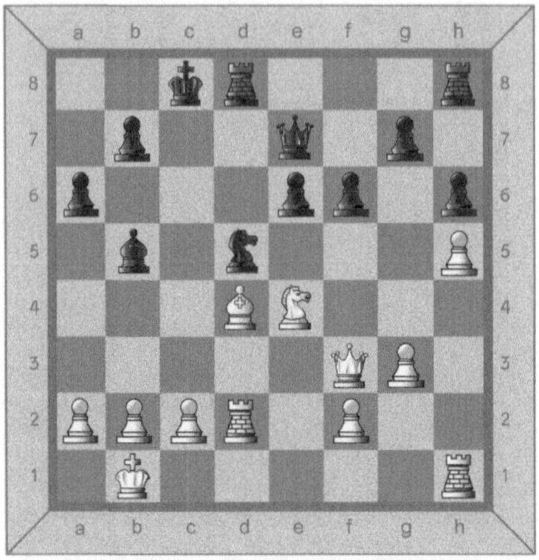

24. 白先

25. 黑先

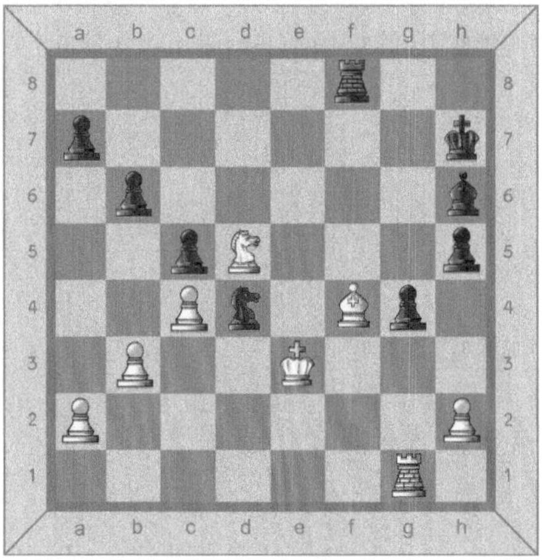

26. 黑先

27. 黑先

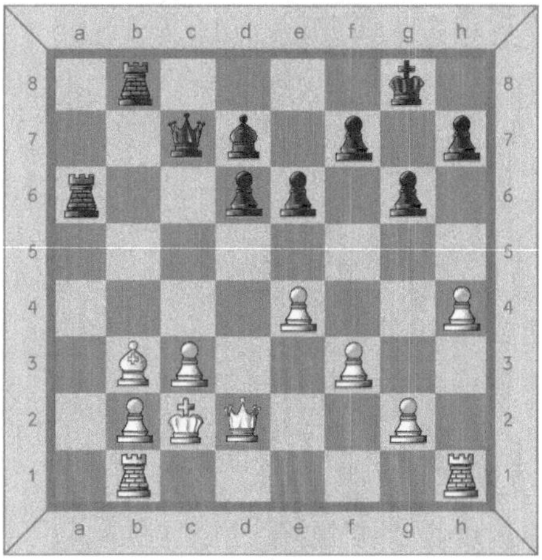

28. 白先

29. 白先

30. 白先

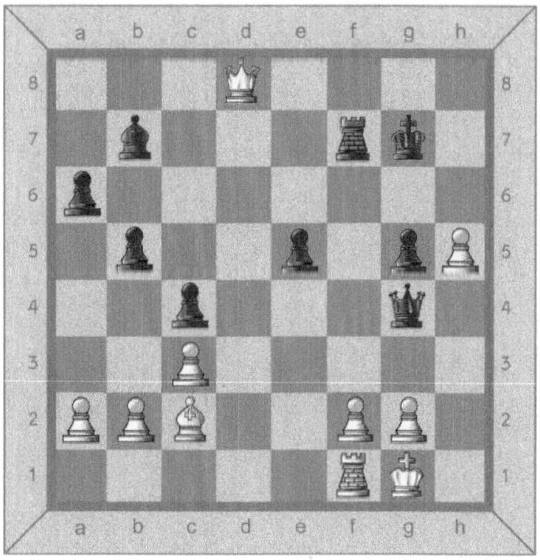

难度：★★

1. 白先

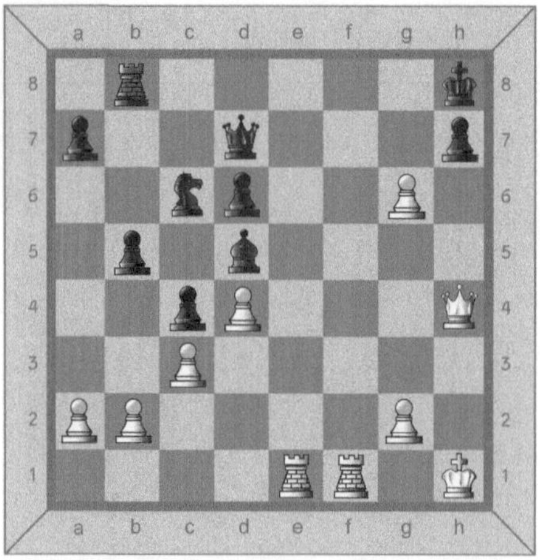

2. 白先

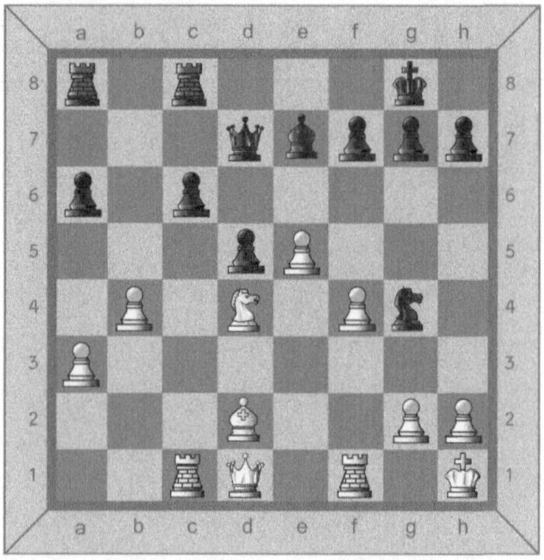

3. 白先

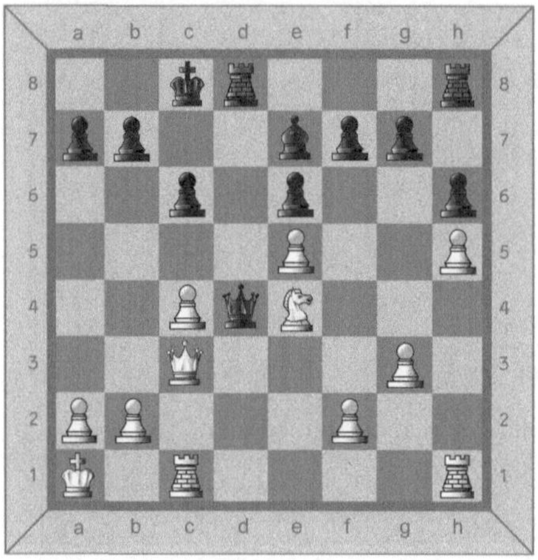

4. 白先

5. 黑先

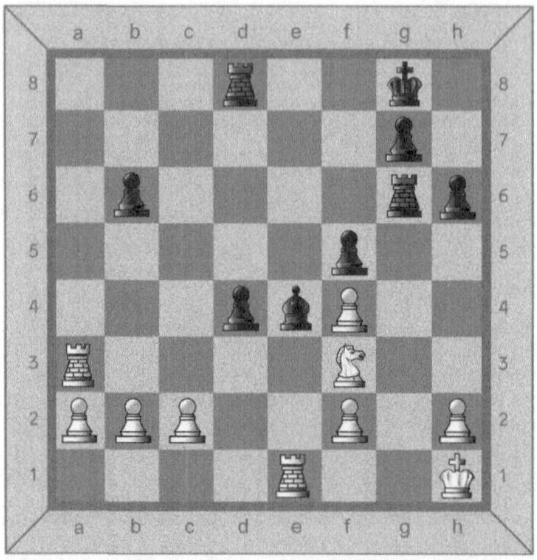

6. 白先

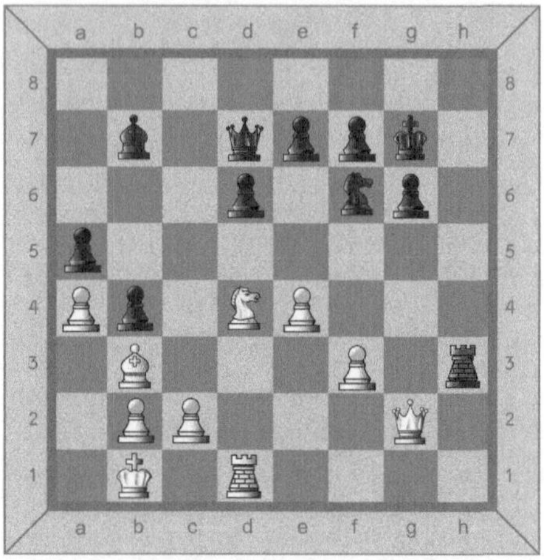

7. 黑先

8. 黑先

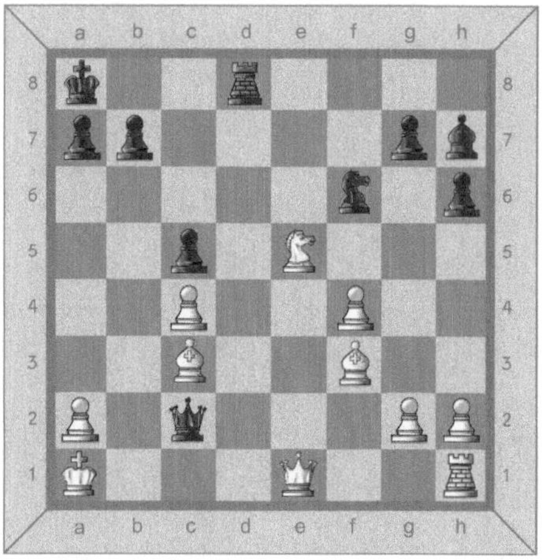

9. 黑先

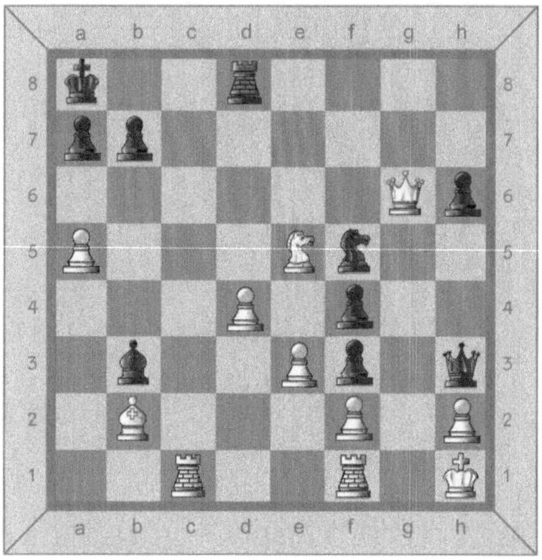

10. 黑先

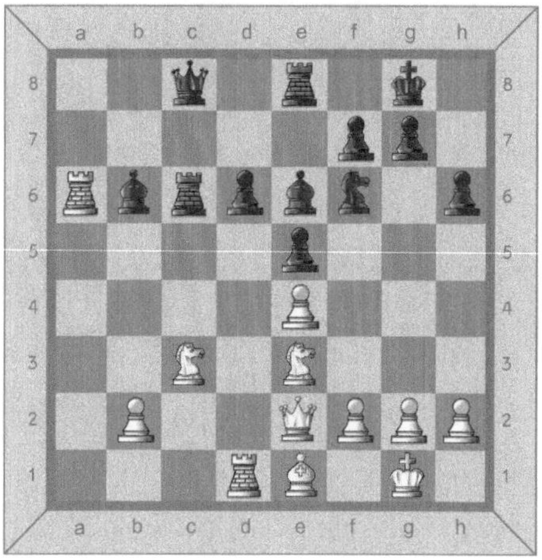

11. 白先

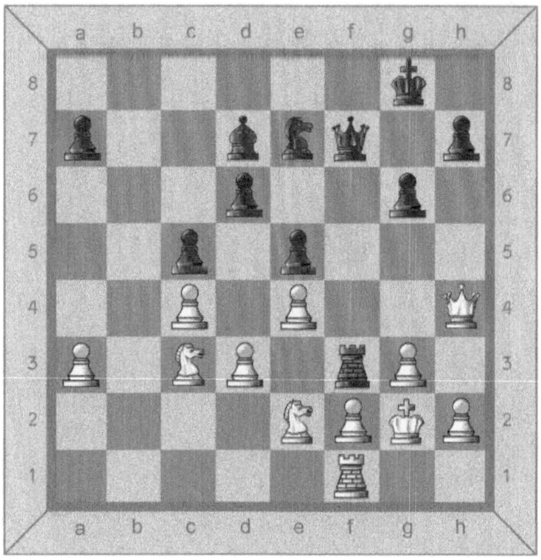

12. 白先

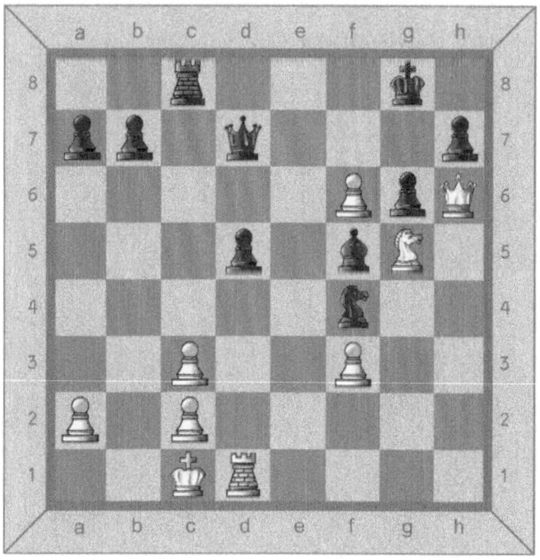

难度：★★★

13. 黑先

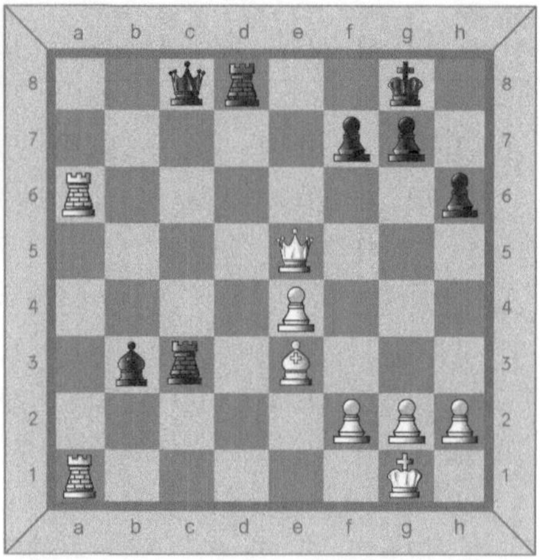

14. 白先

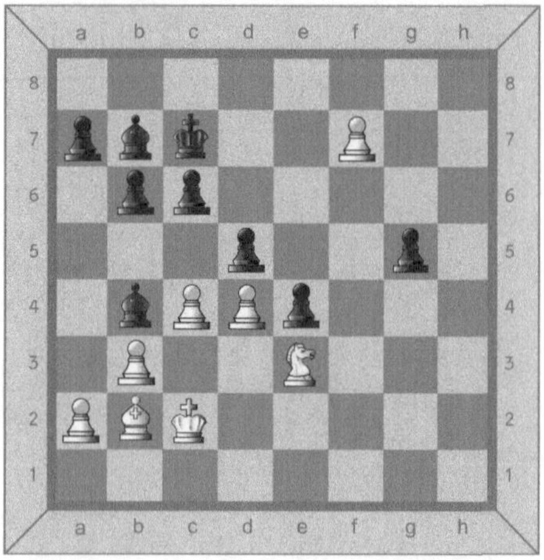

15. 黑先

16. 黑先

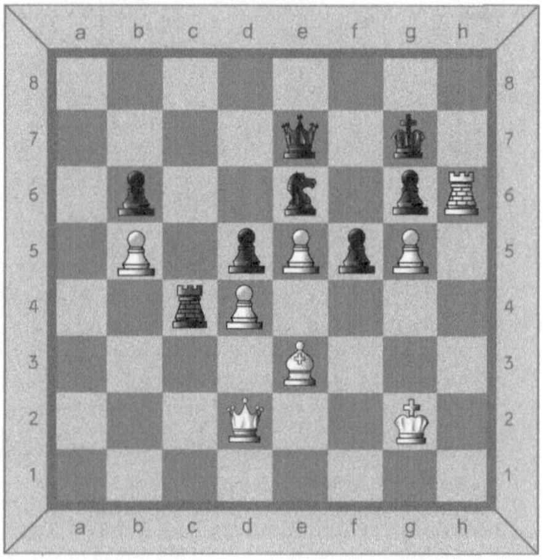

17. 黑先

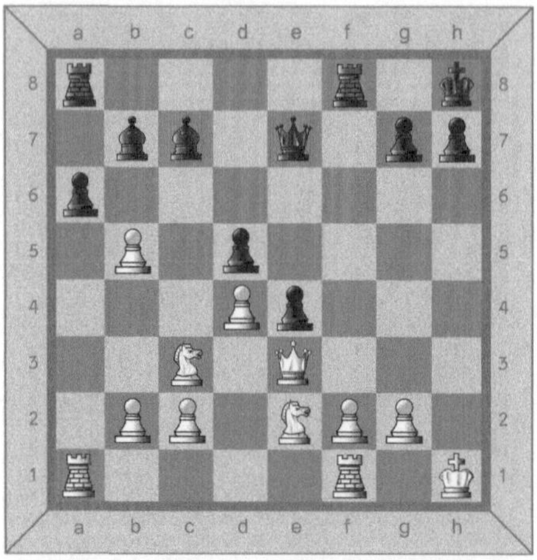

18. 白先

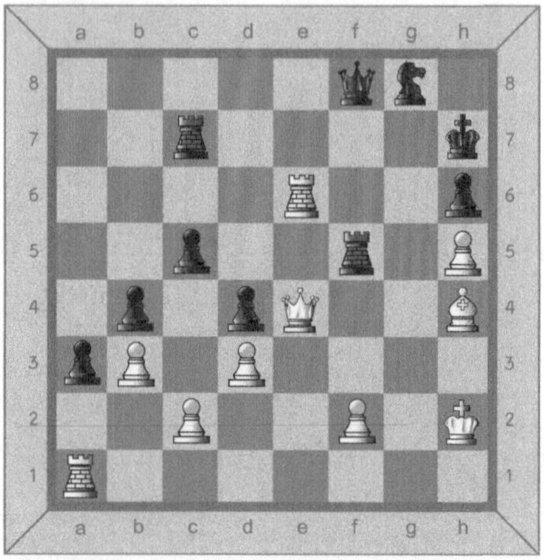

难度：★★

1. 白先

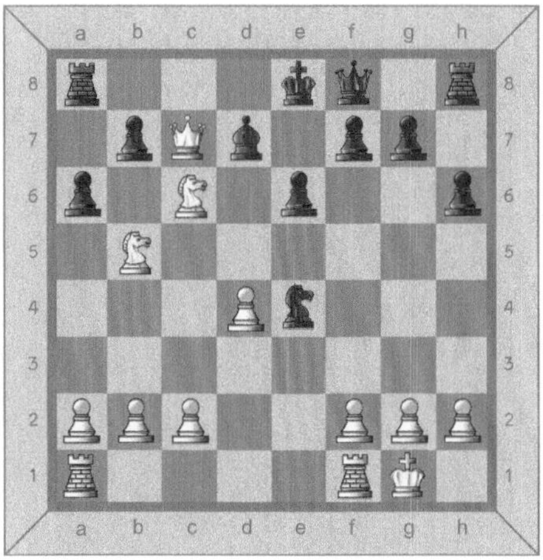

2. 白先

3. 黑先

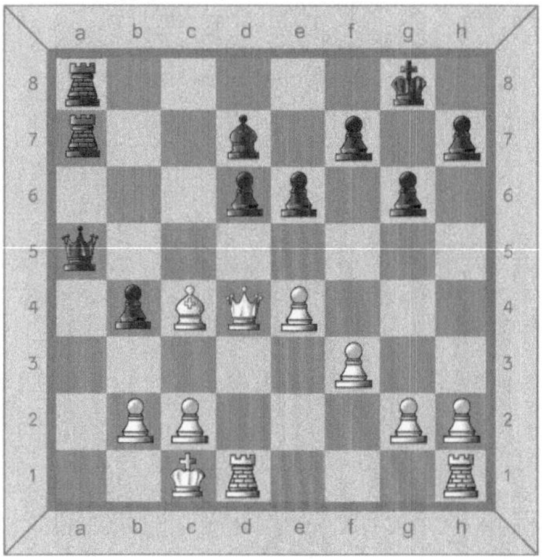

4. 白先

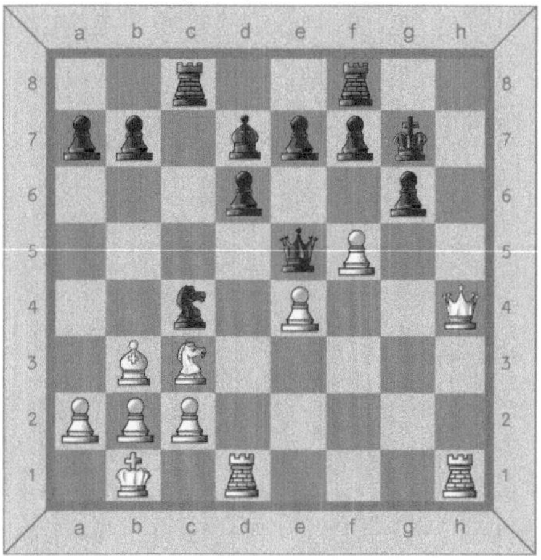

5. 黑先

6. 黑先

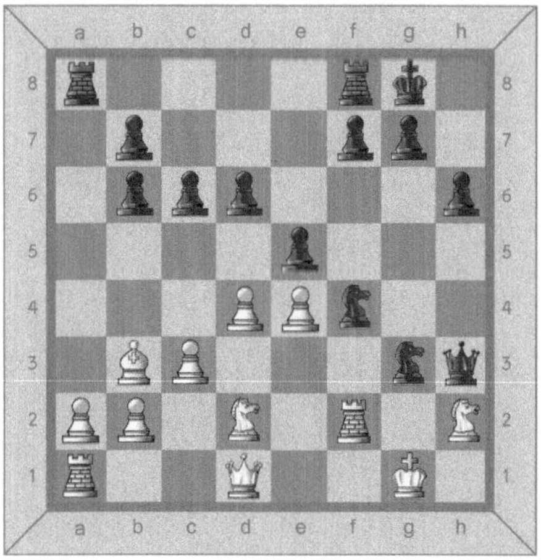

7. 白先

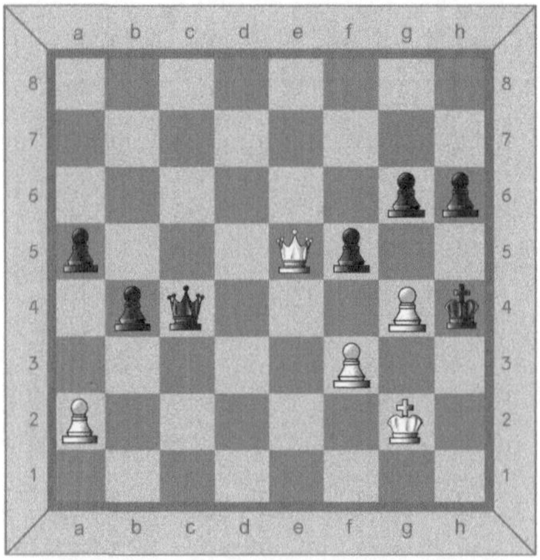

8. 黑先

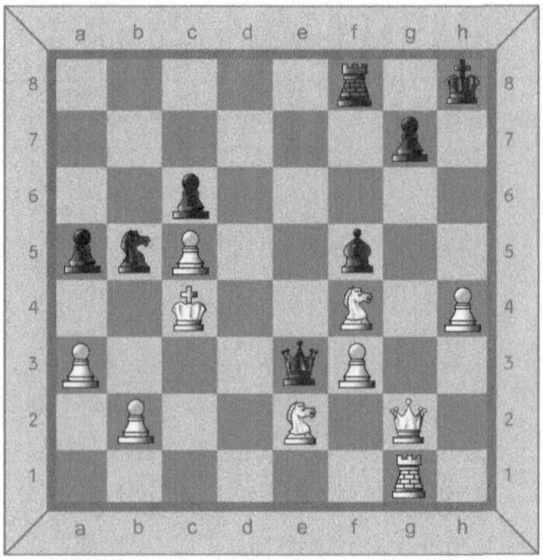

9. 黑先

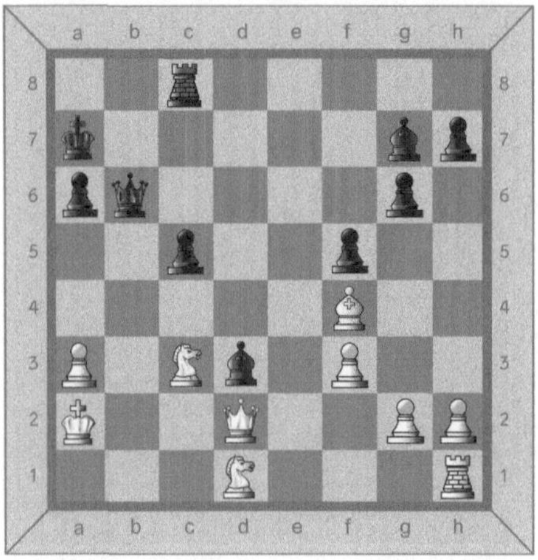

10. 白先

11. 黑先

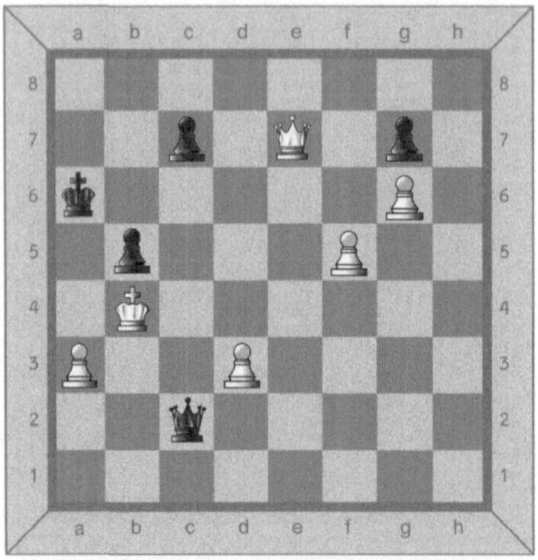

12. 白先

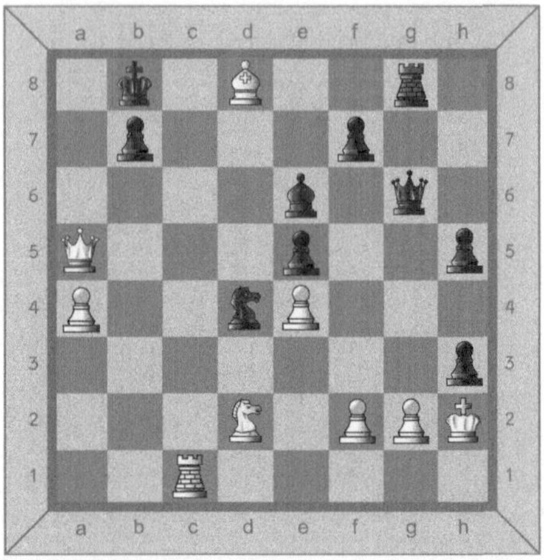

13. 白先

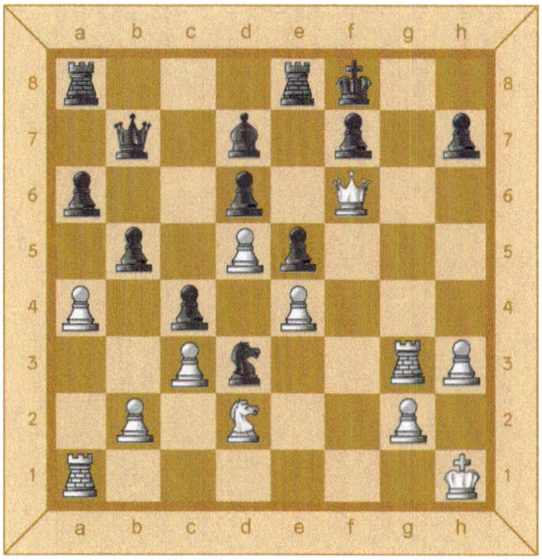

14. 白先

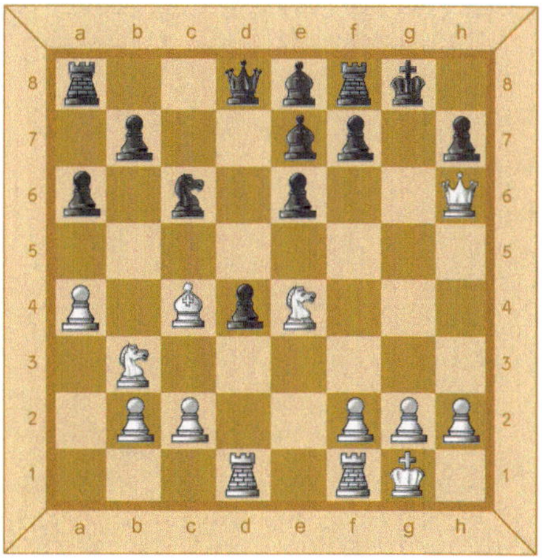

15. 黑先

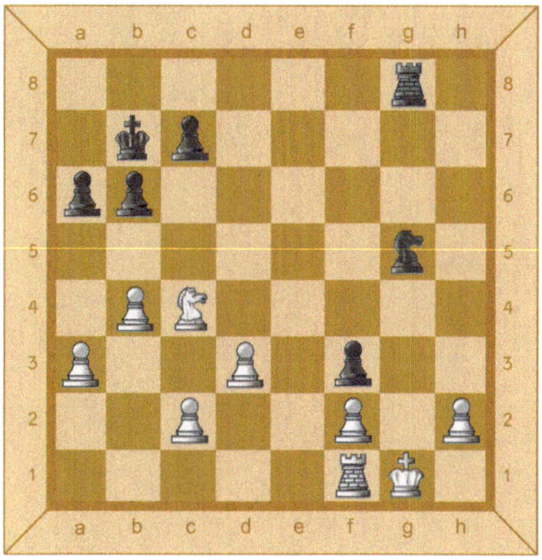

16. 黑先

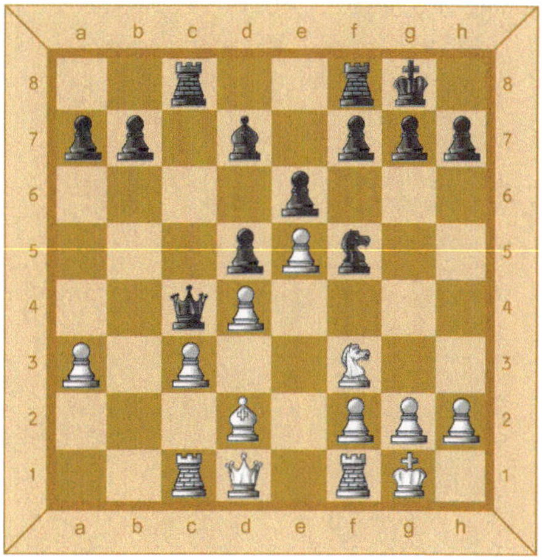

17. 白先

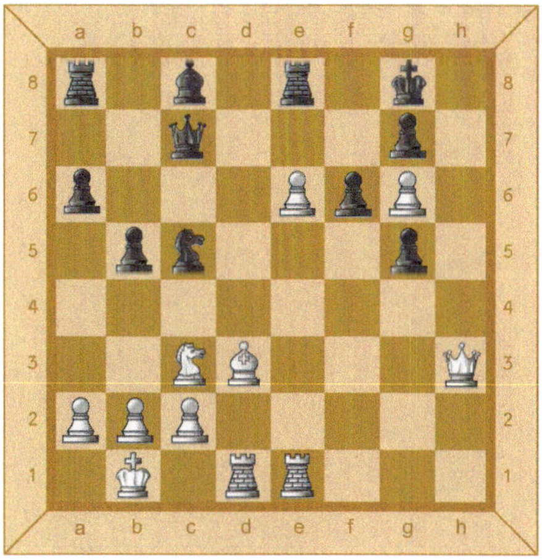

18. 黑先

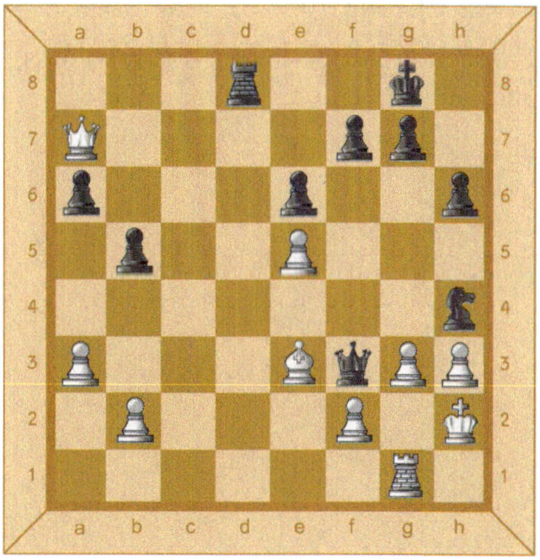

腾挪

难度：★★

1. 白先

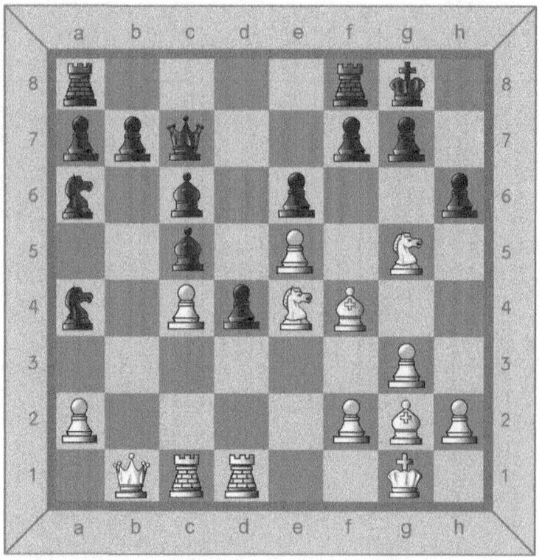

2. 白先

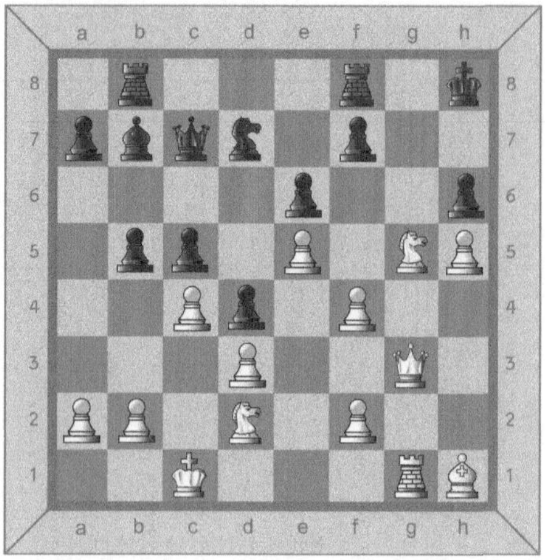

3. 白先

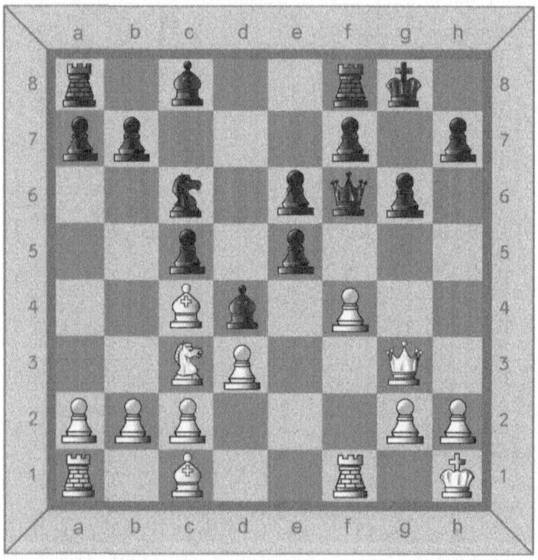

4. 黑先

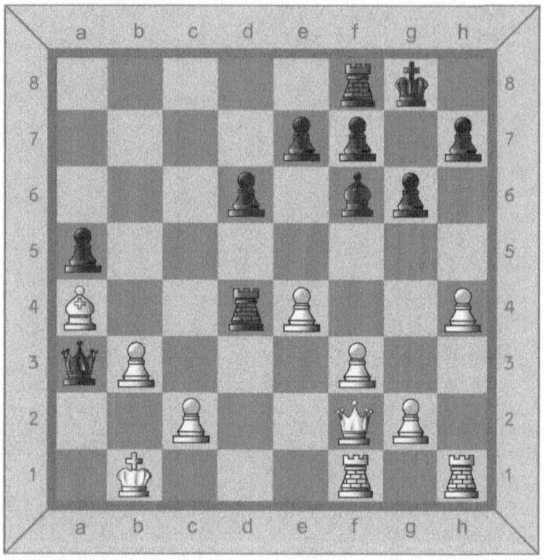

5. 白先

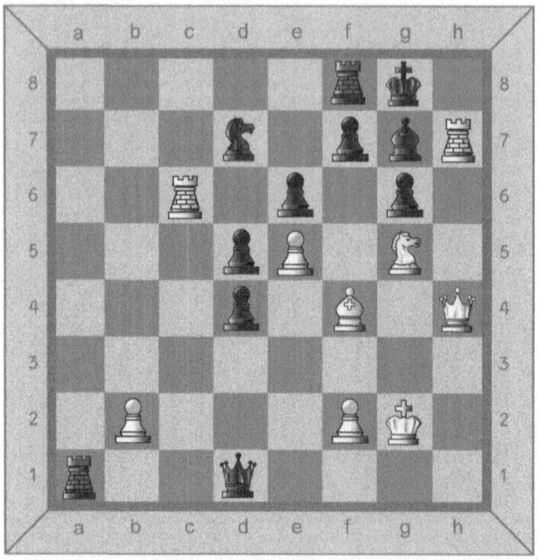

6. 白先

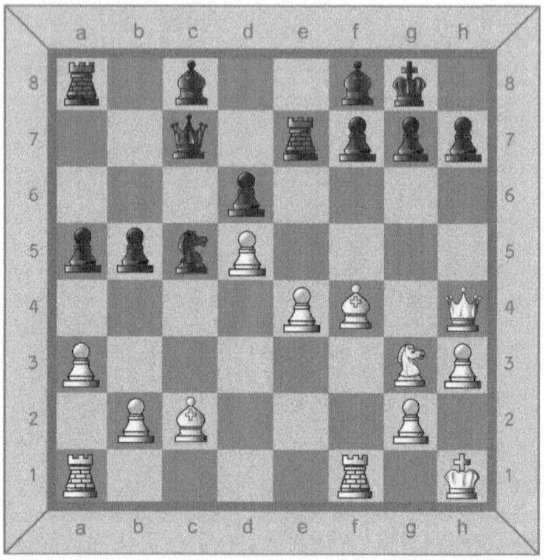

7. 白先

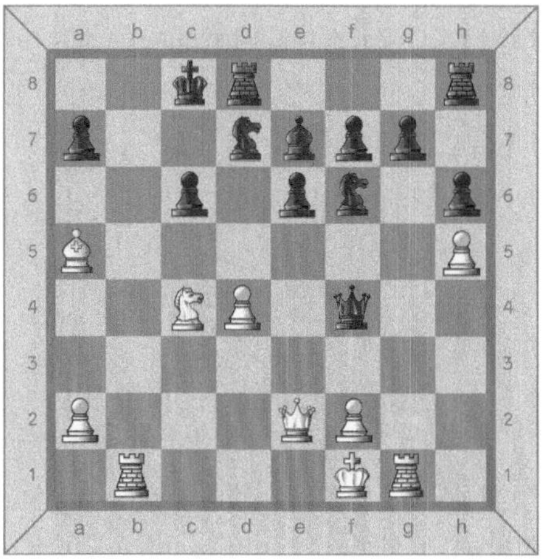

8. 白先

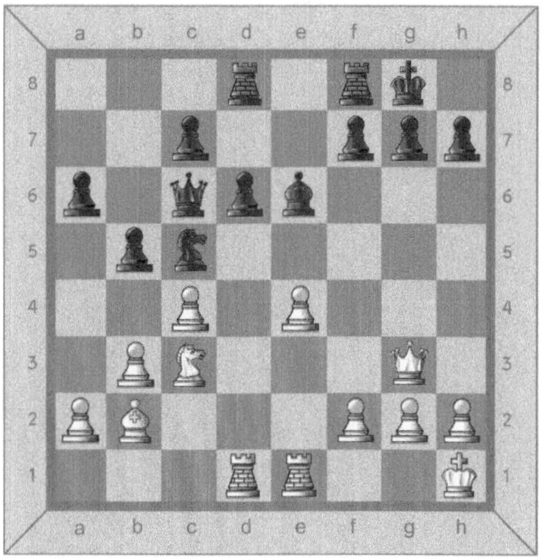

9. 黑先

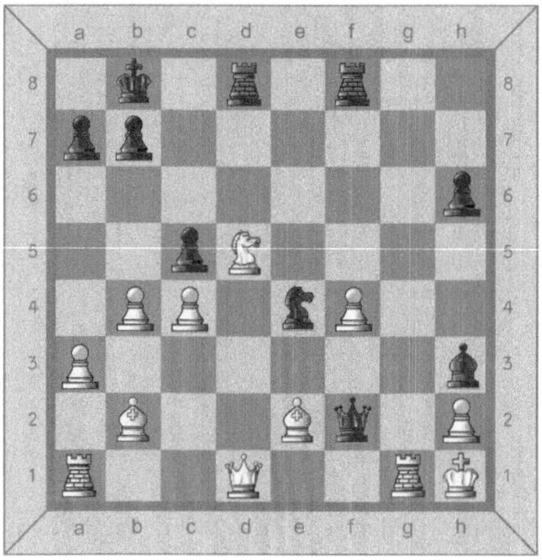

10. 黑先

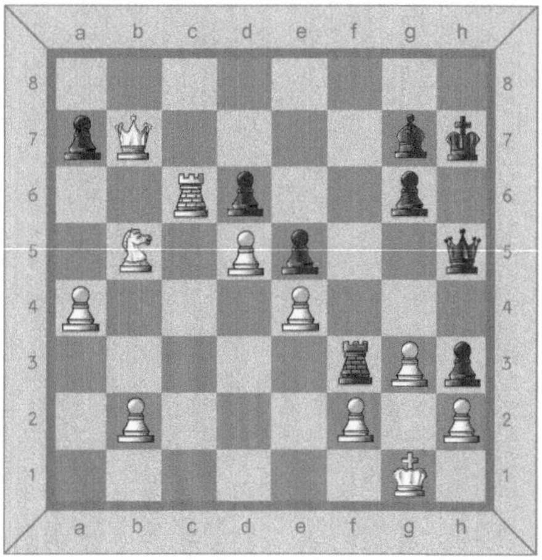

11. 白先

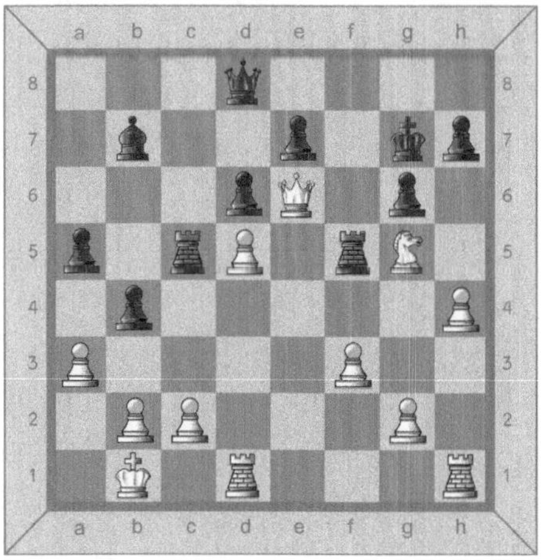

12. 黑先

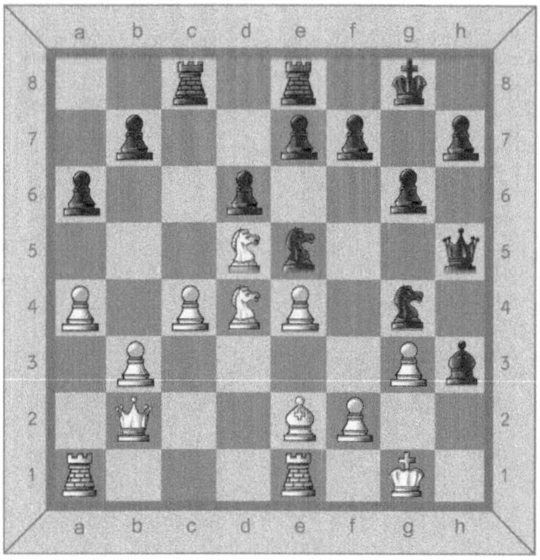

难度：★★★

13. 黑先

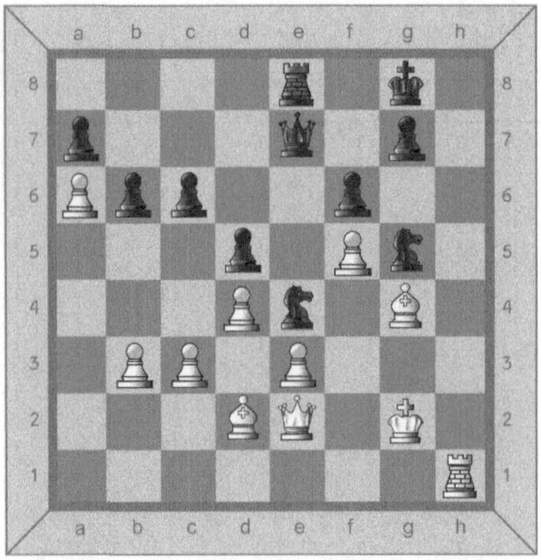

14. 白先

15. 白先

16. 黑先

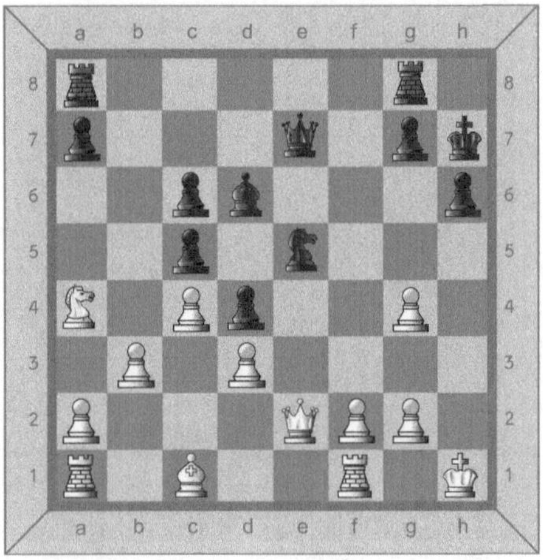

17. 白先

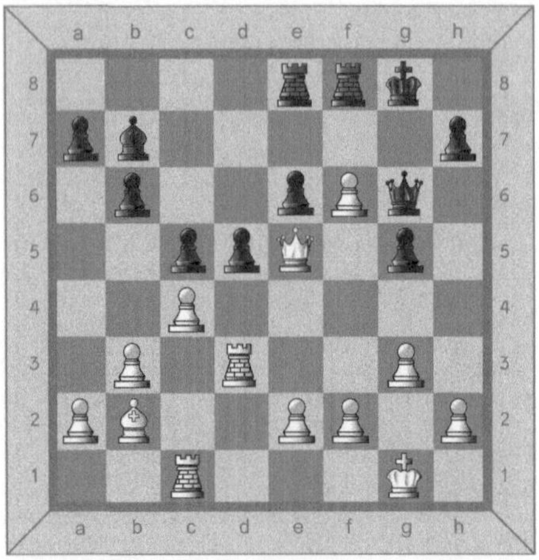

18. 白先

答案

击双

1 1.Qe3++ -
2 1...Qf6 - +
3 1.Re7++ -
4 1...Nf2+ - +
5 1.Qa4++ -
6 1...Re5+ - +
7 1.Bd5+ -
8 1.Qb5++ -
9 1...dxe4 - +
10 1.Ne6+ -
11 1.Nxc7++ -
12 1.d5+ -
13 1...Nd4 - +
14 1.Qg4 Ba5 [1...0-0 2.Qxb4+ -] 2.Qxg7+ -
15 1.Ne4+ -
16 1...Qa5+ - +
17 1.Re5++ -
18 1.Nxf5++ -
19 1...d4 - +
20 1.Qb3 ±
21 1...Nxf2+ - +
22 1.Rf7+ Ke8 2.Nxf5+ -
23 1.Nxd6+ -
24 1...d4 - +
25 1...Ne3+ - +
26 1.Qd6 Rxe1+ [1...0-0 2.Rxe7+ -] 2.Rxe1++ -
27 1.Nc6 Qc7 2.Nxe7++ -
28 1.Qxd5+ -
29 1.Qd5+ -
30 1...Qb7 2.Rb1 Qxd5+ - +
31 1...Qc3+ 2.Kb1[2.Rb2 Qxe1+ - +] 2...Qxd2 - +
32 1.Qxf7+ Kxf7 2.Rd7++ -
33 1.Nd5 Qg5 2.e7+ -
34 1.Qxc5+ Kb7 2.Nd6+ Ka8 3.Nxe4+ -
35 1...Bc5+ 2.Kh1 Nf2+ - +
36 1...Bxh6 2.Qxh6 Nd3 - +
37 1.g4 Qg6 2.Ne7++ -
38 1.Rxf6 gxf6 2.Bxf6+ Kh7 3.Bxd8+ -
39 1...Nxe5 2.Nxe5 Qa5+ - +
40 1.Rxd5 exd5 2.Qxd5+ Qe6 3.Qxa8+ -
41 1.Rxb8 Qxb8 2.Qc6++ -
42 1...Rxg1+ 2.Rxg1 [2.Kxg1 Qxa1+ - +]2...Qe4+ 3.Kh2 Qxa4 - +
43 1...Rxc4 2.Qxc4 Ne3+ - +
44 1.Nxc6 bxc6 2.Bxc6++ -
45 1.Nxe6 fxe6 2.Qxe6+ Qf7 3.Qxe5+ -
46 1...Qd1+ 2.Kh2 Qxh5+ 3.Kg1 Qxg6 - +
47 1.Nxe6 fxe6 [1...Qd7 2.Nxf8 Kxf8 3.Rxd6+ -]2.Qxe6+ Qe7 3.Qxg8+ -
48 1.Nd5 Qe5 2.Qxe5 dxe5 3.Nxc7++ -

49 1.Ne6 fxe6 2.Bxe6+ Kh8 3.Bxg4+ -

50 1.Nd6 cxd6 2.Bxd6++ -

51 1...Qg3+ 2.Qxg3 fxg3+ - +

52 1...Re5 2.Bxb6 Rh5 - +

53 1.f4 Qd4+ 2.Qxd4 cxd4 3.Nc7++ -

54 1.d4 exd4 2.exd4 Bb6 3.d5+ -

55 1.Nd7+ Kg8 2.N7xf6+ gxf6 3.Nxf6++ -

56 1.Re8+ Rf8 2.Rxf8+ Kxf8 3.Ne6++ -

57 1.d6 Qxd6 2.e5+ -

58 1...Qxd2 2.Rxd2 Bb4 - +

59 1...Nd4 2.Qg2 [2.Qd1 Qh2+ 3.Kf1 Qxf2#]2...Qxg2+ 3.Kxg2 Nxc2 - +

60 1.Nd5+ Ke8 [1...Kf7 2.Qxf6+ Ke8 3.Qe7#; 1...Kf8 2.Qxf6+ Qf7 3.Qxd8++ -]2.Nxf6++ -

串击

1 1...Bg7 2.Qd5 Bxa1 - +

2 1.Rf7+ Kd6 2.Rxb7+ -

3 1.Rb1+ -

4 1.Re1 Qd4 2.Rxe6+ -

5 1...Bc6 - +

6 1.Rh8++ -

7 1.Bg5+ -

8 1...Ra1+ 2.Ke2 Rxh1 - +

9 1...Qe5+ 2.Kf3 Qxe1 - +

10 1...Bb4 - +

11 1...Rxa2+ 2.Kc1 Rxf2 - +

12 1.Rh8+ Kg7 2.Rxa8+ -

13 1...Bf5 2.Qd2 Nxc2+ - +

14 1...Na5 2.Qe2 Bxg2 - +

15 1...Rd2 2.Qc4 Bxg2+ - +

16 1...Qe4+ - +

17 1...Bc5 2.Qd3 Rxf2 - +

18 1...Bb6+ - +

19 1.Rxd8+ [1.Qh8+ Kf7 2.Rxd8 Rxd8 3.Qxd8+ -]1...Rxd8 2.Qh8++ -

20 1...Rfc8 2.Qd7 Rxc1 - +

21 1.Rag7+ Kf8 2.Rh8+ Kxg7 3.Rxd8+ -

22 1...Rh1 2.Rxb2 [2.Kg2 b1Q - +] 2...Rh2+ - +

23 1.Nxd6 Qxd6 2.Bxc5+ -

24 1.Rae1 Qd7 [1...Qxe1 2.Qg7#; 1...Rg8 2.Qxg8+ Kxg8 3.Rxe7 Bxh6 4.Re8++ -]2.Rxe8++ -

25 1...Rh2+ 2.Kb3 [2.Ka1 Ra2#] 2...Ba2+ - +

26 1.Qh5+ Ke7 2.Bg5++ -

27 1.Rxg4 fxg4 2.Bxg4++ -

28 1.Qa7+ Kc8 2.Qa8+ Kc7 3.Qxg8+ -

29 1...Be4+ 2.Kxe4 Qc6+ - +

30 1.Rd8 Bc7 2.Rd7+ -

牵制

1 1.Rd8+ -

2 1.Rc3+ -

3 1...Bc5 - +

4 1...Be7 - +

5 1.Rg1 Nxe3 2.Rxg8++ -

6 1...Rb2 - +

7 1...Rh8 - +

8 1.c4+ -

9 1...f6 - +

10 1.Qg5+ -

11 1.d5+ -

12 1.Ng5 Ne6? 2.Nxe6+ -

13 1.d5+ -

14 1.g4+ -

15 1...Rbc8 - + [1...Rdc8 - +]

16 1...Kg8 - +

17 1.Nc5+ -

18 1.Ra3+ -

19 1.g4#

20 1.Nxe6+ fxe6 2.Qxc7+ -

21 1.g6+ -

22 1.Rxe5+ -

23 1.b4+ -

24 1...Nxc3 - +

25 1.Bxg6+ hxg6 2.Qxh8++ -

26 1.Bxf5+ -

27 1...Qxf5 2.exf5 Rxh4 - +

28 1.Qxc6+ -

29 1.Nc4++ -

30 1...Nxd5 - +

31 1.d5+ -

32 1.Qf6+ Kg8 2.Qxg7#

33 1...Qf3+ 2.Kg1 Rxf4 - +

34 1...Rg6+ 2.Kh1 Bb7 - +

35 1...Rd1+ 2.Kf2 Nd2 - +

36 1.Nxf7 Qxf7 2.Bg6+ -

37 1.Bxe4 fxe4 2.Nxe4+ -

38 1...Ncxe4+ 2.Nxe4 Nxe4+ - +

39 1.Qh7+ Kf8 2.Rf1+ -

40 1.Qe4 Kg8 2.Qxh7#

41 1.Qxd4 Rd8 2.Rad1+ -

42 1...Qa5+ 2.Nc3[2.Qd2 Qxb5 - +] 2...d4 - +

43 1...Nfxe4 2.Ncxe4 Nxe4

44 1.Rxb6 Qxb6 2.Rxd5+ -

45 1.Qe6 Rxa7 2.Qxe8+ -

46 1...h4 2.Ne4 h3 - +

47 1.bxc6 Rxc6 2.Bxf5+ -

48 1...Qb5 2.Rxf1 Qb2#

49 1.Nxg7 Bxg7 2.Bh6 f5 [2...Kh8 3.Qxg7#]3.exf6+ -

50 1.Rxe6 Qxe6 2.Bb3+ -

51 1.Nd5 Qb8 [1...Qd7 2.Nf6++ -] 2.Nf6++ -

52 1.Qf8+ Kh7 2.Qxg7#

53 1.Nf6+ Ke7 2.Rxe6#

54 1.Qxh7+ Kxh7 2.Rh5#

55 1.Re1 Qxb3 2.Rxe8#

56 1.Rc1 Qxa4 2.Rxc8#

57 1.Nxb7 Rxb7 2.Qxa6 Rbc7 3.b5+ -

58 1.f4 Ng6 2.e5+ -

59 1.Nf7+ Kg8 2.Ng5 fxg5 [2...Qd7 3.Qh7#]3.Qxe6++ -

60 1...Bd4+ 2.Nf2 [2.Kh1 Ng3#] 2...Bxf2+ 3.Kh1 Ng3#

双将、闪将和闪击

1 1...Nf3+ 2.Bxf3 Qxd2

2 1...c4+ - +

3 1.Bf7+ Kg7 2.Bxe6+ -

4 1.Nd7+ Kg8 2.Nxb8+ -

5 1.Kg3#

6 1.Bxb6+ -

7 1.Nxf6+ gxf6 2.Bxa8 Qxa8 3.Rxc7+ -

8 1.Nxc6 bxc6 2.Bxc5+ -

9 1...Ne6 2.Bxe7 Rxd3 - +

10 1.Bd3+ Kc3 2.Rxa1+ -

11 1.Bf5+ Qxf5 2.Qxd8#

12 1...Nb3+ 2.Qxb3 Qxd4∓

13 1.Be3++ -

14 1...Rxh3+ 2.Nxh3 Qxd2 - +

15 1...Nf3+ 2.Bxf3 Rxe1+ - +

16 1...Nxf3+ - +

17 1.Kg3+ -

18 1.Bh7+ Kxh7 2.Qxd5+ -

19 1...d5 - +

20 1...dxc4 - +

21 1.Rd8#

22 1.Re6#

23 1...Nc7 - +

24 1.Nf5+ -

25 1.Qf5+ Kb8 [1...Rd7 2.Rxg8++ -] 2.Bxd8+ -

26 1.exf6+ -

27 1.Bb6++ -

28 1.Rc6++ -

29 1.Be3++ -

30 1.Rd8++ -

31 1.Nxd4 Qxd4 2.Bb5++ -

32 1...Nxd5 2.Bxe7+ [2.exd5 Bxh4 - +]2...Nxe7 - +

33 1.e5 Nfd7 2.Bxb7+ -

34 1.Qg6+ Qg7 [1...Kf8 2.Rxd7+ -] 2.Rxd8++ -

35 1...Nh3+ 2.Kh1 Rxf1#

36 1...Nxe5 2.Bxd7+ [2.Nxe5 Bxb5∓]2...Nxd7∓

37 1.e5 dxe5 2.fxe5 Nxe5 [2...Rb8 3.exf6+ -]3.Qxa8+ -

38 1...Nxf2+ 2.Kg1 Nh3#

39 1.Qh5+ Kf8 [1...g6 2.Qxh7+ Bg7 3.Rxd8+ -]2.Rxd8+ -

40 1.Rxd5 Qxd5 2.Nxf6+ gxf6 3.Bxd5+ -

41 1.Nf6+ Kd8 2.Re8#

42 1.Nf5+ exf5 2.Qxd7+ Kf8 3.Qxc6+ -

43 1...Bh2+ 2.Kh1 Ng3+ 3.Nxg3 Rxf3 - +

44 1.Bb5 Qb6 2.Bxd7+ -

45 1...Ndxf4+ 2.Kg3 Nxh5#

46 1...Nf6 2.Qh4 Nxg4+ - +

47 1.Nf4 Qg5 2.Ne6+ -

48 1...Bxe4+ 2.Ka1 [2.Kc1 Nd3+ - +] 2...Nb3+ - +

49 1.Nxa4 Nxa4 [1...Bxb4 2.Nxb6+ -]2.Bxd6+ -

50 1...Nxb4∓

51 1...Nb3+ 2.Qxb3 [2.cxb3 Rxc4+ 3.bxc4 Kxh8 - +]2...Qxb3 - +

52 1...Rxd1+ 2.Kc2 R8d2#

53 1.Nxf8+ Kg8 2.Qh7+ Kxf8 3.Bd6++ -

54 1.f3 Nf6 2.Nxc6+ -

55 1.Bxf7+ Kxf7 2.Ne5+ Ke8 3.Nxg4+ -

56 1...Nh4+ 2.Kf1 [2.Kh2 Qg2#] 2...Qg2+ 3.Ke1 Nf3#

57 1.Nxc6 Qxc6 [1...dxc6 2.Bxc5 Nxc5 3.Nxe7++ -]2.Nxe7++ -

58 1...Nd4 2.Qxd7 [2.Nxd4 Qxa4 - +] 2...Nxe2#

59 1.Bg8+ Kh8 2.Bf7+ Kh7 3.Qg8#

60 1.Ne5 Rad8 [1...Rae8 2.Nxd3+ -] 2.Nxf7+ Rxf7 3.Rxf7+ -

消除保护

1 1.Ne7+ Kh8 2.Rxf8#

2 1.Bxc6 bxc6 2.Nxb4+ -

3 1...Kf7 2.Rg2 Nxd6 - +

4 1...Bxf3 2.gxf3 Bxe1 - +

5 1...Bb4 - +

6 1.Rf5+ -

7 1...Bxf3 2.Qxf3 Nxd4 - +

8 1.Rxg7+ Qxg7 2.Qxe8++ -

9 1.Bxc6+ bxc6 2.Qxd4+ -

10 1.Rxc4 bxc4 2.Qxe2+ -

11 1...a6 - +

12 1.Bxf5 exf5 2.Bxd6+ -

13 1.Bxf6 Bxf6 2.Qe4+ -

14 1...Bxf3 2.Qxf3 [2.hxg4 Bxe2 - +] 2...Qh2#

15 1...Nxc3 2.bxc3 [2.Nxc6 Nxd1 - +] 2...Nxe5 - +

16 1.Ng5 Qe7 2.Qxc4++ -

17 1...Nxc3 2.bxc3 [2.Bxe8 Nce2+ - +] 2...Nxb5 - +

18 1.Bxh6+ -

19 1...c5 - +

20 1.d3 Nb6 2.Nxe5 ±

21 1.Bxd5 Bxd5 2.Nf6++ -

22 1.Rg8+ Kxg8 2.Kxe7 Kg7 3.f6++ -

23 1...Bxe3 2.Bxe3 Bg4 - +

24 1.Rxb2 Nxb2 2.Nxd4+ -

25 1...Bxa3 2.Nxa3 Ncxd4 - + [2...Nfxd4 - +]

26 1.a3 Nbc6 2.Nxa6+ -

27 1.Nxf6+ Qxf6 2.Qxg4+ -

28 1.Nd4 Nxd4 [1...Qb7 2.Nxc6+ -] 2.Rd8#

29 1.Rxd7 Qxd7 [1...Nxd7 2.Bxe7+ -] 2.Bxf6++ -

30 1...b4 2.Nb1 Nc2+ - +

31 1.Rxe6 Kxe6 2.Nxd5+ -

32 1.Bxf6 Bxf6 [1...bxc3 2.Bxc3+ -] 2.Nd5+ -

33 1.Nb6 Qc7 2.Bxe6+ -

34 1...Nxa2+ 2.Nxa2 Nb3#

35 1.Qh8+ Kxh8 2.Rxf8#

36 1.c5+ -

37 1...Bb5 2.Qe3 Bxe2 3.Qxe2 Qxd4 ∓

38 1.Bxf6 Bxf6 [1...Bxe2 2.Bxe7 Qxe7 3.Qxe2+ -]2.Bxg4+ -

39 1...Rxd1 2.Rxd1 Rxd1+ 3.Qxd1 Nxe4 ∓

40 1...Bf5 2.Rc1 Bxc2 3.Rxc2 Nxd4 - +

41 1...Bd5 2.Re1 Bxf3 3.Qxf3 Qxd4 - +

42 1...Nxe4 2.Nxe4 Qxc2 3.Rxc2 Bxe4 - +

43 1...Ne2+ 2.Kh1 Nxc1 3.Raxc1 Bxa3 - +

44 1.Nd6 Qc6 2.Nxb7 Qxb7 3.Bxd5+ -

45 1...Qxe3+ [1...Bxc3 - +]2.fxe3 Bxc3 3.Bxc3 Rxc3 - +

46 1.Nxd4 Bxd4 2.Rxd4 Rxd4 3.Qxb8++ -

47 1...exd5 2.Rxd5 Rxd5 3.Qxd5 Bxa4 ∓

48 1.Nxd6+ Kd7 2.Bxc6+ Kxc6 3.Qxb8 Rxe6 4.Ne4+ -

49 1.Rxf6 Qxf6 2.Rc7++ -

50 1.Qxd5 Qxd5 2.Nc7+ Kd8 3.Nxd5+ -

51 1.Nxd5 Bxd5 2.Qh4 h6 3.Bxe7+ -

52 1.Rxb2 Rxb2 2.Be5 Rxa2 3.Rh8#

53 1...Bxd4 2.Rxd4 [2.Qxb6 Bxb6 - +] 2...Nxc3+ 3.Bxc3 Qxb5 - +

54 1...Nd4 2.Nxd4 [2.Re3 Nxf3+ 3.gxf3 Bxe1 - +]2...Bxe1 - +

55 1...Rf1+ 2.Kxe2 Re1+ 3.Kxe1 Qxe3+ 4.Kd1 Qxf4 - +

56 1.Rxf6 Kxf6 [1...Rxf6 2.Qxh7+ Kf8 3.Qh8#; 1...exf6 2.Qxh7#]2.Rf1+ Kg7 3.Qxh7#

57 1...Qb6+ 2.Kh1 Rg8 3.Qf5 Rxh6 - +

58 1.Rxg7 Rxg7 2.Nf6 Rd8 3.Bxe5+ -

59 1.Qh6+ Kh8 2.Rxe7 Rxe7 3.Nxg6++ -

60 1...Rxd2 2.Rxd2 Nxe4 3.Rd8+ [3.Nxe4 Bxe4+ - +]3...Qxd8 4.Bxd8 Nef2#

引离

1 1...Rxb6 [1...e1Q 2.Rxe1 Kxe1 3.Kxh7 Rxb6 4.h5 Kf2 5.g4 Kf3 6.g5 Kg4 7.g6 Kxh5 8.g7=]2.Rxb6 e1Q -+

2 1...Rxc4 2.Rxc4 Qe1#

3 1.Qxc5+-

4 1.f5+ exf5 [1...Kh6 2.Rxh7#]2.Rd6#

5 1.a7 [1.h8Q+ Bxh8 2.a7+-] 1...Bxa7 2.h8Q++-

6 1.Rxb6 cxb6 2.c7+-

7 1.Rf8+ Kxf8 [1...Kg7 2.Qh7+ Kxf8 3.Qh8#]2.Qh8#

8 1.Bxf5+ Qxf5 [1...Kg7 2.Bxd7+-]2.Qxe8++-

9 1...Qg3 2.hxg4 Qh4#

10 1.Bxf6 Bxf6 [1...gxf6 2.Nxh6++-]2.Nxd6+-

11 1...Rxg3+ 2.hxg3 Qh1#

12 1.Rxd7 Nxd7 2.Qh7#

13 1.Bd6+ Qxd6 2.Rxg1+-

14 1.Nd5 exd5 2.Rhe1++-

15 1...Qxa4 -+ 2.bxa4 Ba3#

16 1.Rxe8+ Kd7 [1...Kxe8 2.Qxc7+-]2.Re7+ Kxe7 3.Qxc7++-

17 1...Ng4+ 2.fxg4 Qe4#

18 1.Nf6+ Qxf6 2.Qxe8#

19 1.Qg6 hxg5 [1...Qxg5 2.Qxe8++-]2.Qh5#

20 1...Nxe5 2.Rg1 [2.fxe5 Bg5 -+]2...Ng6 -+

21 1...Bxa4 2.Rxd8+ Rxd8 3.N2e3 [3.Rxa4 Rd1+ -+]3...Bb5 ∓

22 1...Rxf3+ 2.Bxf3 [2.Ke1 Rxe3 -+]2...Nd3+ -+

23 1.Rc2+ Rc5 2.Qd7#

24 1.g4 fxg4 [1...Ne7 2.Bxe7 Qxe7 3.gxf5+-]2.f5+-

25 1.Rxg6 fxg6 2.Qe6+ Kf8 3.Qf7#

26 1...Nxc3 2.bxc3 [2.Qxd8 Rxd8 3.bxc3 Bxe5 -+]2...Qxd1 3.Rxd1 Bxe5 -+

27 1.Bxd5 Nxd5 [1...Qxd5 2.Qxd5 Nxd5 3.Rxe8#]2.Rxe8+ Qxe8 3.Qxd5+-

28 1...Qf2+ 2.Qxf2 [2.Kd1 e2+ -+] 2...exf2+ 3.Kxf2 Kxh8 -+

29 1.Qd7 Rff8 [1...Rdf8 2.Re8++-; 1...Rxd7 2.Re8++-]2.Qxd8+ Rxd8 3.Nxd3+-

30 1...Rxf4 2.Rxf4 Rd1+ 3.Ka2 Ra1#

引入

1 1.Bxf7+ Qxf7 [1...Kh8 2.Rxe8+-]2.Rxe8#

2 1.f5 Qxf5 2.Rf2+-

3 1.Bg5+ Qxg5 2.Nf7+ Ke8 3.Nxg5+-

4 1...Rh4+ 2.Kxh4 Qh5#

5 1.Qxf6+ Kxf6 2.Ne4+ Kg7 3.Nxc5+-

6 1.Rxd5 Rxd5 2.Qe4+-

7 1...Nxd4 2.Qxd4 Ng4+ -+

8 1.Rxc8+ Kxc8 2.Be6+ Kb8 3.Qxc5+-

9 1...Qxe2 2.Qxe2 Ng3+ -+

10 1.d5+ Kxd5 [1...Qxd5 2.Bg8++-]2.Be4++-

11 1...Bxe3+ 2.Kxe3 Bf5+ 3.Kd2 Bxb1 -+

12 1.Rxd3 Rxd3 2.Be4 g6 3.Bxd3+-

13 1.Nxc5 Nxc5 2.Na4+ -

14 1.Rxf4+ Qxf4 2.Rf1+ -

15 1.Rh8+ Kxh8 2.Qh7#

16 1...Rxa3+ 2.Kxa3 Ra8# [2...Qa5#]

17 1.Qf8+ Kxf8 [1...Rxf8 2.Ne7#] 2.Rh8#

18 1...Qxc3+ 2.Kxc3 [2.Ka4 Rxa2#] 2...R8d3#

19 1.Qxg7+ Kxg7 2.Rg5#

20 1.Qxd6+ Kxd6 [1...Ke8 2.Rfd1+ -]2.Ba3#

21 1...Qh2+ 2.Kxh2 Nxf3#

22 1...f3+ 2.Kxf3 [2.Qxf3 Nh4#] 2...Ne5+ - +

23 1.c4 Bxc4 [1...Bc6 2.cxd5+ -]2.Rc1+ -

24 1.Qxc6+ Kxc6 2.Ne5#

25 1...Bxf4+ 2.Nxf4 Rxf4 3.Kxf4 Ne2+ - +

26 1...Bc3+ 2.Qxc3 Re2+ 3.Kd1 Qxc3 - +

27 1...Rxb3 2.Kxb3 Ba4+ 3.Kb4 [3.Ka2 Bc2#]3...Qc5#

28 1.Rh8+ Kxh8 [1...Kg7 2.Qh6#] 2.Qh6+ Kg8 3.Qh7#

29 1.Qg8+ Kxg8 2.Be6+ Kh8 3.Rg8#

30 1.h6+ Kxh6 2.Qh8+ Rh7 3.Qxh7#

拦截

1 1.Rf7 Bxf7 2.Qxh7#

2 1.e6 fxe6 2.Qxg4+ -

3 1.Nd6+ Rxd6 [1...Bxd6 2.Qxd4+ -]2.exd6 ±

4 1.Nb8+ -

5 1...d3 2.cxd3 [2.Rxd3 Rxd3 3.cxd3 Bxf3#; 2.Re3 dxc2 - +]2...Bxf3#

6 1.Nf5+ Kf8 2.Qxh3+ -

7 1...Ng3+ 2.fxg3 Qxg2#

8 1...Rd1+ 2.Bxd1 [2.Qxd1 Qxc3#] 2...Qb1#

9 1...Ng3+ 2.fxg3 [2.Qxg3 fxg3 - +] 2...Qg2#

10 1...Bc4 2.Nxc4 Qxa6 - +

11 1.Nf4 exf4 [1...Rxf4 2.gxf4+ -] 2.Kxf3 fxg3+ 3.Kxg3+ -

12 1.f7+ Kh8 [1...Qxf7 2.Nxf7 Kxf7 3.Qxf4+ -]2.Qxh7#

13 1...Rc1+ 2.Rxc1 [2.Bxc1 Rd1#] 2...Qxc1+ 3.Bxc1 Rd1#

14 1.c5 bxc5 2.f8Q+ -

15 1...Nd3+ 2.cxd3 [2.R1xd3 exd3 - +] 2...Rxd4 3.Nxd4 Rxd4 - +

16 1...f4 2.Bf2 [2.Bxf4 Rxd4 3.Qc2 Nxf4+ - +]2...Qxg5+ - +

17 1...Rf3 2.gxf3 Qh4+ 3.Kg2 Qh2#

18 1.Bf6 Nxf6 2.Qxf5+ Kg7 3.Rg1++ -

堵塞

1 1.Qd8+ Rxd8 2.Nc7#

2 1.Qg8+ Rxg8 2.Nf7#

3 1...Qg5+ 2.Kb1 [2.Qd2 Ra1#] 2...Ra1#

4 1.f6+ Qxf6 2.Qh7#

5 1...Qe3+ 2.Qf2 Rh1#

6 1...Qg2+ 2.Rxg2 Nh3#

7 1.Qe7+ g5 2.Qe1#

8 1...Qd3+ 2.Nxd3 Be6#

9 1...Qb1+ 2.Nxb1 Bc4#

10 1.Kc1 a2 2.Nc2#

11 1...c5+ 2.Qxc5 Qb2#

12 1.Rc8+ Bxc8 [1...Kxc8 2.Qc7#] 2.Bc7#

13 1.Qxd6+ Re7 2.Qh6+ Ke8 3.Rg8#

14 1.Nf6+ Bxf6 2.Bd3 Bg7 3.Qxh7#

15 1...Nh3+ 2.Kh1 Rg1+ 3.Rxg1 Nxf2#

16 1...Ba4 2.Qe1 Bb5 -+

17 1.Qh7+ Kf8 2.e7+ Rxe7 3.Qh8#

18 1...Qg2+ 2.Rxg2 Nf3+ 3.Kh1 Rd1+ 4.Rg1 Rxg1#

腾挪

1 1.Nf6+ gxf6 2.Qh7#

2 1.Nxe6 fxe6 [1...Rg8 2.Nxc7 Rxg3 3.fxg3+-]2.Qg7#

3 1.Ne4 Qg7 2.c3+-

4 1...Rd1+ 2.Rxd1 Qb2#

5 1.Rxg7+ [1.Rh8+ Bxh8 2.Qh7#] 1...Kxg7 2.Qh7#

6 1.e5 g6 [1...dxe5 2.Qxh7#]2.exd6+-

7 1.Nd6+ Bxd6 2.Qa6#

8 1.Nd5 Bxd5 [1...f6 2.Ne7++-]2.Qxg7#

9 1...Qf3+ 2.Bxf3 Nf2#

10 1...Rf7 2.Qxf7 Qd1#

11 1.Qxf5 gxf5 2.Ne6++-

12 1...Bg2 2.Kxg2 [2.Bxg4 Qh1#] 2...Qh2+ 3.Kf1 Qxf2#

13 1...Nxd2 2.Qxd2 Qe4+ 3.Kh2 [3.Kg3 Qxh1-+]3...Qxg4-+

14 1.Nxd4 exd4 [1...Nf6 2.Nf3+-] 2.hxg4 dxc3 3.gxh5+-

15 1.Be4+ g6 2.Qf7+ Bg7 3.Bxg6#

16 1...Qh4+ 2.Kg1 Nf3+ 3.Qxf3 Qh2#

17 1.f7+ Kxf7 [1...Rxf7 2.Qh8#]2.Rf3+ Ke7 [2...Kg8 3.Qh8#]3.Qc7#

18 1.Nxc6+ Kd7 [1...Qxc6 2.Qxe7#] 2.Qxe7+ Kxc6 3.Qxc7+ Kb5 4.Qxc2+-